D0400985

48 DÍAS

LOAN STAR LIBRARIES

This book was purchased
through a generous grant
from the

TEXAS STATE
LIBRARY

PARA AMAR SU TRABAJO

HELEN HALL LIBRARY
City of League City
100 West Walker
League City, TX 77573-3899

DISCARD

MAR 0 7

Historical Society
City of _____
_____ W
League City Texas _____

DAN MILLER

48 DÍAS

HELEN HALL LIBRA
City of League City
100 West Walker
League City, TX 77573-3899

PARA AMAR SU TRABAJO

B&H
¡Español!

© 2007 por Dan Miller
Todos los derechos reservados
Derechos internacionales registrados

ISBN-10 dígitos: 0-8054-4453-X
ISBN-13 dígitos: 978-0-8054-4453-7

Publicado por B&H Publishing Group
Nashville, Tennessee 37234

Clasificación Decimal Dewey: 248.84
Temas: VIDA CRISTIANA \ ORIENTACIÓN PROFESIONAL

Publicado originalmente en inglés por B&H Publishing Group
con el título *48 Days to the Job You Love* © 2005 por Dan Miller.

Traducción al español: *Nora Redaelli*
Diseño interior: *Grupo Nivel Uno, Inc.*

A menos que se indique otra cosa, las citas bíblicas son de la Santa Biblia,
Nueva Versión Internacional, © 1999 por la Sociedad Bíblica Internacional.
Usadas con permiso.

Las citas bíblicas marcadas RVR95 se tomaron de la
Versión Reina-Valera 1995, © 2005 por las Sociedades Bíblicas Unidas.
Usadas con permiso.

Impreso en EE.UU.
1 2 3 4 5 6 ❖ 10 09 08 07

Índice

Prefacio vii

Introducción 1

1. ¿Qué es el trabajo? 7

2. El desafío del cambio: Reaccionar, responder
   o quedar atrapado 19

3. Cómo elaborar un plan de vida 37

4. Ruedas, metas y acciones concretas 51

5. ¿Águila o lechuza? 69

6. Seis ofrecimientos de trabajo en diez días 83

7. Cómo encontrar su camino 103

8. ¿Les caigo bien? ¿Me caen bien? 119

9. Muéstrame el dinero 139

10. ¿Tiene todo lo que hay que tener? 149

11. De zorrillos, trapos y caramelos 173

12. Conclusión 187

13. Apéndice 193

Prefacio

Son pocas las áreas de nuestra vida que nos definen y nos hacen crecer espiritual y emocionalmente, en nuestras relaciones y como personas; el trabajo es una de esas áreas que nos definen con fuerza. Lamentablemente, la mayoría de las personas se conforma con tener un empleo, pero, como señala Dan Miller con gran acierto y convicción en los capítulos siguientes, un *llamado* ilumina toda nuestra vida.

La clave de comprensión y la implementación práctica que propone Dan para que lleguemos a descubrir nuestro llamado y actuar en consecuencia han tenido gran influencia en miles de personas, entre las cuales se incluyen muchos miembros de mi equipo y yo mismo. La clave está en la implementación. En los últimos años recibí gran inspiración de autores que me estimularon a ser «salvaje de corazón» y a tener «una vida con propósito» (obras de John Eldredge y Rick Warren, respectivamente). Pero *48 días para amar su trabajo* me entusiasma aún más porque logra darle cuerpo a esos conceptos. Quizás usted sea como yo; a veces necesito que alguien me ayude a cristalizar las ideas en acciones concretas. El conocimiento sin acción produce el efecto que vemos en tantas personas que, a pesar de tener un excelente nivel de educación, se sienten en quiebra y quebrados, y los vemos deambular sin rumbo ni motivación.

Las páginas que siguen lo guiarán en la implementación de un plan detallado que le permitirá mostrarle al mundo sus sentimientos y su propósito en la vida de una manera que lo colmará de satisfacciones. Esto no significa que jamás enfrentará adversidades o cometerá errores en el proceso, ni que su carrera se lanzará hacia el futuro sin fallar nunca. Tendrá caídas, cometerá errores y su profesión no tendrá una trayectoria perfecta. Pero este material lo hará sentirse satisfecho y cambiará su existencia porque le dará las herramientas necesarias para descubrir aspectos clave del plan de Dios para su vida. Y se sentirá satisfecho porque al descubrir e *implementar* este plan, experimentará el poder que viene de Dios, y ese poder lo impulsará a través de la adversidad y de los errores. Este poder del Señor le dará fuerzas para reconocer que aun las cosas que salen mal pueden contribuir a lograr un buen resultado final.

En estos últimos años he conocido y compartido tiempo con personas que alcanzaron un éxito absolutamente extraordinario, y en esos encuentros observé algunos rasgos comunes a todas ellas. Hay dos características que se destacan entre las demás. La primera es que todas reconocen tener un llamado; lo descubrieron y son fieles a él. Y la segunda es que han cometido innumerables errores en el proceso de alcanzar el éxito. En realidad, la rutilante montaña del éxito es una enorme pila de desperdicios, el cúmulo de los errores que se cometen. Lo que diferencia a una persona exitosa de la que no lo es, no es una vida libre de equivocaciones. La diferencia radica en que la persona que alcanza el éxito sabe qué está llamada a hacer y lo hace. Se para encima de la montaña de errores mientras los demás se sientan debajo de ella.

La mayoría de nosotros pasa demasiado tiempo paralizada por el temor, la vergüenza, la culpa o el pánico en lo que respecta a nuestro trabajo. El trabajo se ha convertido en un yugo cotidiano en lugar de ser una aventura cotidiana. Lo maravilloso de este material es que a medida que usted implemente este proceso, progresivamente irá modificando sus sentimientos negativos y avanzará hacia una vida laboral venturosa. Desde la experiencia de alguien que diariamente pone en práctica la propuesta de este libro, le digo que sé que atravesará momentos de duda, temor y equivocaciones. Sin embargo, al descubrir su llamado y buscar la manera de implementarlo, irá creciendo en la confianza de que ha sido puesto en este mundo para triunfar a pesar de las dudas, el temor y las equivocaciones, pero no prescindiendo de ellos.

Siento una profunda alegría por ustedes, los lectores, porque cuando abran este libro será como encender un fuego. Tal vez la madera esté húmeda y envejecida, pero aun así, cuando comience a arder se convertirá en una enorme fogata. Este libro trata sobre implementar acciones. Pues bien, *¡es hora de comenzar!*

DAVE RAMSEY
Conductor de programas de radio
en cadenas nacionales

Introducción

A muy temprana edad en la vida, comenzamos a definir lo que nos gustaría ser en la edad adulta. Conforme crecemos, se produce una transición sutil pero significativa que nos lleva desde «¿Qué quiero *ser*?» a «¿Qué voy a *hacer*?» En los Estados Unidos, se define y valora a las personas por lo que hacen. Lamentablemente, el camino del *hacer* a menudo elude las preguntas básicas acerca del *ser*.

A partir del siglo XIX, el mundo occidental define el trabajo como la esencia del hombre, ya que el ser humano se realiza mediante sus obras y aspira a ser reconocido en ellas por los demás.* Curiosamente, según esta definición, la persona que odia su trabajo no «trabaja» porque no «se siente realizada» ni se siente «reconocida por sus obras». El informe del Centro de Investigación sobre el Consumo de la Junta del Distrito de Nueva York muestra un marcado descenso del índice de satisfacción laboral, en varias áreas, en la fuerza de trabajo de los Estados Unidos a partir de 1995. Según el estudio realizado en septiembre de 2003, sólo el 50,7% de los encuestados dijo estar satisfecho con su empleo. Eso implica un descenso del 13,5% en comparación con 1995, que registró un porcentaje de satisfacción del 58,6%. Para muchas personas, el trabajo no es más que un salario. El odio hacia el trabajo y el menosprecio del jefe y de la empresa es una actitud corriente y aceptada por todos, incluso por aquellos que tratan de vivir su vida cumpliendo el propósito de Dios.

[* Diccionarios del Saber Moderno, La Filosofía, Ediciones Mensajero, Bilbao, España, 1974, p. 532]

«¡DETESTO MI TRABAJO!»

He escuchado a muchas personas describir su trabajo con frases verdaderamente patéticas. «Detesto mi trabajo», dijo un abogado cristiano durante una sesión de consejería. Según el diccionario, «detestar» significa «aborrecer, tener aversión o antipatía hacia algo». Sin duda, es muy difícil dedicarse a una tarea que uno aborrece. Es posible cumplir con lo que otros esperan que hagamos y obtener un sueldo, pero no hay posibilidad de encontrar sentido, propósito, paz o satisfacción haciendo algo que aborrecemos.

CRECÍ EN UNA GRANJA

Crecí en una granja lechera en una zona rural, en Ohio. Mi padre era agricultor y pastor de una pequeña iglesia menonita en un pueblo en el que bastaba una única luz de advertencia para ordenar el tránsito. Este entorno me dio una visión particular del mundo. Cumplir la voluntad de Dios implicaba honrar a mi padre y mi madre, asistir a la iglesia al menos tres veces por semana, no decir malas palabras como mis compañeros del pueblo, y cumplir mis promesas. Ir al béisbol, a la piscina, a la fiesta de graduación, a un baile, o simplemente tener tiempo libre estaba fuera de toda posibilidad. Los automóviles lujosos, televisores, artículos de moda y otros bienes «mundanos» estaban estrictamente prohibidos. El trabajo era una constante; nos mantenía ocupados los siete días de la semana. Las vacas debían ordeñarse dos veces al día, los 365 del año. Era necesario plantar el maíz, apilar el heno y limpiar los gallineros.

No tenía la libertad de pensar qué clase de trabajo quería o estaba llamado a hacer. Cualquier deseo, anhelo, sueño o vocación quedaba sometido a la realidad cotidiana: había que trabajar para sobrevivir. Un concepto tan extravagante, como la necesidad de disfrutar del trabajo, estaba fuera de discusión. ¿Acaso no era el trabajo algo que hacíamos mientras vivíamos aquí en la Tierra, a la espera de alcanzar nuestra recompensa en el cielo? ¿Acaso no enseña la Biblia que el trabajo fue la consecuencia de la maldición sobre Adán por haber comido del árbol de la vida?

«¡Maldita será la tierra por tu culpa!
Con penosos trabajos comerás de ella
todos los días de tu vida.
La tierra te producirá cardos y espinas,
y comerás hierbas silvestres.
Te ganarás el pan con el sudor de tu frente,
hasta que vuelvas a la misma tierra

de la cual fuiste sacado.
Porque polvo eres,
y al polvo volverás». (Génesis 3:17-19)

Yo entendía que la frase «con el sudor de tu frente» hacía referencia al trabajo físico. Las personas que trabajaban en bancos, oficinas y comercios en el pueblo, tenían trabajos livianos. Sin embargo, estando en el campo, mi mente vagaba sin cesar imaginando un mundo que jamás había visto. Deseaba hacer algo más, lograr más cosas, tener más y ser más que lo que veía delante de mis ojos.

Seguí leyendo la Biblia por mi cuenta y comencé a descubrir una nueva visión del trabajo. Si el trabajo era un castigo por el mal que habíamos hecho, ¿por qué nos dice la Biblia una y otra vez que lo disfrutemos? Incluso Salomón, en sus momentos de mayor pesimismo, dijo «y sé también que es un don de Dios que el hombre coma o beba, y disfrute de todos sus afanes» (Eclesiastés 3:13). En Colosenses 3:23, Pablo nos dice «Hagan lo que hagan, trabajen de buena gana, como para el Señor y no como para nadie en este mundo». Y Dios mismo parece prometer que el trabajo será parte de nuestra recompensa en la eternidad. ¡Vaya sorpresa! Los salvos «Construirán casas y las habitarán; plantarán viñas y comerán de su fruto. Ya no construirán casas para que otros las habiten, ni plantarán viñas para que otros coman» (Isaías 65:21-22).

A pesar de que mi familia esperaba que continuara con la granja, al finalizar la escuela secundaria, mi deseo de trabajar en algo más acorde con mis expectativas me llevó a la Universidad buscando ampliar mi horizonte. Las desventajas de una educación limitada y legalista me empujaron a buscar una vida de mayor realización personal más allá de las expectativas familiares. Inicié entonces un camino de incesante estudio personal paralelo al cumplimiento de las exigencias académicas y obtuve varios títulos en el área de psicología y religión. Mi propósito era averiguar si podía combinar una vida entregada a Dios con una vida de trabajo con sentido.

A lo largo de ese camino trabajé como auxiliar terapeuta en un hospital psiquiátrico, fui docente de Psicología en la Universidad, vendí automóviles, fui dueño de un gimnasio y centro de salud con 4000 socios, inicié una compañía de accesorios para automóviles, fui pintor de casas, corté el césped, trabajé como consejero en una iglesia, tuve a mi cargo una compañía de máquinas expendedoras de castañas de cajú y vendí libros y casetes en Internet.

En la actualidad trabajo principalmente como consejero, pero combino esa tarea con otras siete actividades complementarias. Los principios básicos que encontrarán en este libro son fruto de mi experiencia personal y de muchos años de estudio y consejería con personas que, igual que yo, han encontrado su vocación.

DÓNDE COMENZAR

48 días para amar su trabajo propone una nueva manera de mirar lo que usted va a ser cuando sea adulto. ¿Qué dones le ha dado Dios en términos de (1) *habilidad y capacidad*, (2) *rasgos de personalidad* y (3) *valores, sueños y pasiones*? Estas áreas permiten definir un patrón, a partir del cual se pueden tomar decisiones en relación con una carrera y el trabajo. Este patrón funciona como una brújula, asegurando continuidad de dirección en medio de los inevitables cambios de empleo y la inestabilidad laboral. Mirar hacia el interior de nosotros mismos constituye el 85% del proceso de determinar cuál es la dirección correcta; el 15% restante corresponde a la aplicación práctica en términos de elección de profesión y actividad.

El trabajo no es una maldición de Dios, sino una de las bendiciones de caminar siguiendo su voluntad. Encontrar *el trabajo que le gusta* no es un objetivo egoísta, sino un componente esencial de cumplir con nuestro verdadero llamado.

Tal vez el lector se pregunte: ¿por qué 48 días? La Biblia muestra con toda claridad que Dios considera que 40 días es un período importante en lo espiritual. En efecto, los relatos bíblicos muestran que Dios se tomó 40 días cada vez que quiso preparar a una o a varias personas para algo mejor.

- La vida de Noé y el mundo entero se transformaron durante 40 días de lluvia.
- Moisés fue una persona diferente después de pasar 40 días en el monte Sinaí.
- Los espías israelitas exploraron la tierra prometida durante 40 días.
- Elías corrió más de 300 km (190 millas) durante 40 días, alimentado con una sola comida, para llegar al lugar donde nuevamente escucharía la voz de Dios.
- Goliat desafió al ejército israelita durante 40 días mientras Dios preparaba a David para que se enfrentara con él.

- El pueblo de Nínive se transformó en 40 días después que Dios les exigió cambiar su estilo de vida.
- Jesús se preparó para el ministerio después de pasar 40 días en el desierto.
- Los discípulos se transformaron al cabo de pasar 40 días con Jesús después de la Resurrección.
- Son 40 los días entre el miércoles de Ceniza y el Domingo de Pascua de Resurrección (sin contar los domingos).

Le concedo ocho días libres para que pueda armar su propio plan. Tome un descanso los domingos y algunos sábados. No debe agotarse; la propuesta de ajustarse a un cronograma es simplemente para evitar la habitual tendencia a posponer las cosas.

Los próximos 48 días pueden cambiar su vida. Dedíquelos a descubrir los talentos únicos que posee, a identificar sus características más sobresalientes, a estudiar las opciones, a elegir el camino que lo conduzca a un trabajo gratificante y con sentido, a elaborar un plan de acción y a *ponerlo en práctica*.

Creo que Dios me creó para cumplir con sus propósitos
y tiene un plan para cada día de mi vida, y en esa confianza
dedicaré los próximos 48 días a lograr mayor discernimiento
y un plan de acción que me encamine en el llamado que Dios tiene para mí.

Nombre   *Fecha*

¿Qué es el trabajo?

Aquel que es maestro en el arte de vivir reconoce muy pocas diferencias entre el trabajo y el juego, la faena y el ocio, la mente y el cuerpo, la información y la recreación, el amor y la religión. Apenas distingue uno del otro. Simplemente va en pos de un ideal de excelencia en todo lo que emprende, dejando librado al criterio de los demás si es un trabajo o un juego. Según él, siempre hace ambas cosas a la vez.

—JAMES MICHENER

¿Qué es el trabajo? ¿Es un mal necesario, una manera de consumir el tiempo que transcurre entre nuestros breves períodos de diversión los fines de semana? ¿Es esencialmente un recurso para pagar las cuentas y mostrar que somos responsables? ¿Es la prueba que les asegura a nuestros padres que el título universitario fue una buena inversión? ¿Es el camino más corto para llegar a cobrar la pensión? ¿O es algo más?

Hace poco recibí la siguiente nota de un cliente:

«Dan, al seguir los principios de *48 días...*, me di cuenta de que mi empleo cumplía sólo uno de mis objetivos personales: llevar a casa un salario. Necesitaba un estímulo emocional que me permitiera romper las cadenas que me ataban. Bien podría decirse que este proceso me salvó la vida, ya que estaba al borde de la autodestrucción. Sentía que valía más para mi familia por mi póliza de seguro que estando a su lado. Sin la dirección de Dios y la propuesta de *48 días...*, que me ayudó a reconocer mis sentimientos y analizar mis sueños, no sé qué hubiera sido de mí».

Este hombre, un ingeniero mecánico con muy buen sueldo, era una persona responsable y aparentemente tenía una exitosa carrera profesional. Pero su trabajo ya no tenía sentido para él, excepto por el salario.

Dos de los diccionarios más conocidos definen *trabajo* de la siguiente manera:

1. Ocupación retribuida; lugar donde se trabaja (Real Academia Española).
2. Realizar una acción física o intelectual continuada con esfuerzo (María Moliner).

Esta definición presenta un marcado contraste con la definición de *juego* en María Moliner:

1. Hacer cosas con la única finalidad de divertirse.
2. Tomar parte en un juego o en un deporte.

Trabajar es realizar una tarea con esfuerzo; jugar es hacer algo que se disfruta. Pero ¿qué ocurriría si encontrara una actividad que disfrutase y, además, le proporcionara un ingreso? ¿Es posible hacer coincidir el trabajo y el juego en una misma actividad? ¿Es descabellado pretender disfrutar de nuestro trabajo?

NO ES TRABAJO. NO ES UN JUEGO. ¿QUÉ ES?

Poco tiempo atrás, Lou, un buen amigo mío, trataba de describir un tiempo en el que había dejado de trabajar, pero no estaba de vacaciones y tampoco se divertía. «Debe haber una palabra –pensó– para describir este otro tipo de actividad».

Sólo dos de las definiciones describen nuestro quehacer cotidiano y, lamentablemente, *trabajo* y *juego* se encuentran en extremos opuestos. Tal vez necesitemos crear nuevas palabras para describir actividades que están a mitad de camino entre el *trabajo* y el *juego*. Por ejemplo, ¿cómo consideraríamos las tareas que realizamos en el hogar? O ¿a qué categoría pertenecen las tareas de voluntariado en la iglesia? ¿Y qué hay del tiempo que le dedicamos a una conversación profunda con un amigo?

Sería un ejercicio interesante ver qué términos colocar entre *trabajo* y *juego*, en un amplio espectro que cubra la distancia entre uno y otro.

Reflexionar sobre la gama de posibilidades incluidas entre los dos extremos, *trabajo* y *juego*, puede ayudarnos a definir con más claridad nuestra actitud frente a un gran número de actividades que todos realizamos habitualmente.

Decidí buscar el significado de otras palabras que aparecen junto a trabajo y juego. Por ejemplo, *ocio* es «el tiempo libre, fuera de las obligaciones y ocupaciones habituales; una diversión u ocupación reposada». El término proviene del latín *otium*, que significa «reposo».

León Tolstoi estudió, en su lucha por alcanzar la santidad, la vida de la clase alta (incluida la nobleza) y de la gente común que trabajaba para ellos. Y llegó a la conclusión de que, independientemente de sus penurias, la clase trabajadora cada noche descansaba en paz confiando en la bondad de Dios, mientras que los miembros de la nobleza a menudo se quejaban y no eran felices. Renunció, pues, a los privilegios de la clase adinerada y fue a trabajar al campo junto a los campesinos. Afirmó que la mayor equivocación de la clase ociosa era creer que «la felicidad reside en no tener nada que hacer». En *A Talk Among Leisured People* [Conversación con la gente ociosa] aseveró que el ser humano debe volver al convencimiento de que «el trabajo, y no el ocio, es la condición indispensable para alcanzar la felicidad».

Imagine que le fuera «permitido» hacer lo que más le gusta todos los días. ¿Qué ocurriría con nuestra definición del *retiro* o *jubilación*?

La definición de *retirar-se* incluye los siguientes conceptos:

1. Abandonar un trabajo, una competición, una empresa.
2. Irse a su habitación o irse a casa, especialmente para descansar.
3. Dejar un lugar o un cargo para ir a un lugar protegido o aislado.
4. Hacer que algo deje de estar en uso.

¿Acaso no es esto lo que la gente tiene en mente cuando habla de jubilarse? *¿Cuándo podré dejar este estúpido trabajo y dedicarme a hacer lo que realmente me gusta?* ¿Verdaderamente desea dejar de estar activo o de cumplir una función? En lugar de ello, ¿por qué no tener la expectativa de disfrutar el trabajo cotidiano?

Los frutos de una vida plena –felicidad, confianza, entusiasmo, propósito y dinero– son, básicamente, una consecuencia de hacer con excelencia algo que disfrutamos, más que objetivos que podamos perseguir por sí mismos.

En su conocido libro *The Millionaire Mind* [La mente del millonario], Thomas J. Stanley analiza las características de las personas más ricas de los Estados Unidos, tratando de identificar sus rasgos sobresalientes. ¿Será su coeficiente intelectual, su promedio de calificaciones de la escuela secundaria, el área de especialización en la Universidad, la ayuda del entorno familiar o el rubro de actividad que escogieron? Curiosamente, ninguno de estos factores parece explicar el éxito extraordinario que lograron. La característica más destacada, común a todos los millonarios, es que *se dedican a hacer algo que verdaderamente les gusta*. El Dr. Stanley concluyó: «Si a usted le gusta su trabajo, si disfruta de verdad lo que hace, sus posibilidades de alcanzar el éxito son óptimas».

Las primeras ideas que vamos forjando sobre el trabajo tienden a asociarlo con algo poco deseable o de difícil disfrute. Tom, un joven inteligente de 27 años, llegó a mi consultorio porque necesitaba confirmar si estaba yendo en la dirección correcta. Poco tiempo atrás se había graduado en la Universidad después de siete años de estudio, y había obtenido un puesto en la sección Ventas de una compañía de equipamiento para oficinas. Cada mañana, vestido con traje y corbata, hacía los correspondientes llamados telefónicos. La empresa estaba muy satisfecha con su trabajo, pero él experimentaba un aburrimiento más allá de lo imaginable. Al preguntarle por qué había escogido ese camino, su respuesta puso de manifiesto una concepción del trabajo muy difundida. Explicó que había disfrutado mucho de los años en la Universidad porque entonces podía viajar, practicar *snowboarding*, ir a los partidos de béisbol y pasar tiempo con sus amigos. Después de obtener su título, pensó que era tiempo de «madurar» y formar parte del «mundo real», y para él, eso suponía trabajar en algo que le disgustara porque así probaría que era un adulto responsable.

Riéndome, le pregunté quién le había vendido ese paquete. Repasamos detenidamente sus habilidades, sus rasgos de personalidad, valores, sueños y pasiones. Hoy, Tom es copropietario de una tienda de equipos de *snowboard* en Breckenridge, Colorado. En las noches con luna, tal vez lo vea bajando la ladera mientras prueba uno de sus nuevos diseños.

· ·

▶ EL SÍNDROME DE LA MUJER VÍCTIMA DE ABUSO

No, este texto no trata sobre esposas víctimas de abuso, pero ocurre que conocí a alguien en mi oficina que usaba este término para describir su conducta de volver a trabajar en su profesión una y otra vez a pesar de no hallar ninguna satisfacción en su trabajo. En su mente operaba un patrón de conducta notablemente similar al de la mujer víctima de abuso: dejaba el empleo que odiaba en busca de algo más gratificante, experimentaba dificultades o contratiempos, y regresaba al trabajo tan temido, sabiendo que allí tendría un ingreso seguro.

¿Cree que el salario es su única motivación en el trabajo? ¿Le gustaría dejar su trabajo para hacer algo que en realidad disfrute? ¿Intentó un cambio de rumbo pero acabó regresando al trabajo que le resultaba más familiar? Este patrón de retorno a situaciones negativas o abusivas atrapa a muchas personas. Los problemas emocionales y de autoestima suelen ser complicados y generan confusión. Sin embargo, los riesgos son infinitamente menores cuando se trata de un empleo. Su trabajo no define quién ni qué es usted; hoy puede dejar su empleo, y eso no implica cambiar el propósito o la dirección general de su vida. Su llamado abarca una realidad mucho más vasta que la actividad diaria que le provee sustento. Salga en busca de un trabajo que le permita sentirse pleno y satisfecho.

¿POR QUÉ TRABAJAMOS?

Al plantear esta pregunta, suelo recibir las siguientes respuestas:

- para pagar las cuentas;
- porque necesitamos alimentos, ropa y un techo;
- porque es lo que otros esperan de nosotros;
- para no caer en el aburrimiento;
- por nuestra propia autoestima;
- porque favorece nuestra inserción en la sociedad;
- para tener un lugar adonde ir.

Me encuentro con mucha gente que abandona su empleo porque desea hacer algo más significativo. Una mujer que hace poco renunció a su puesto de trabajo, donde ganaba 74.000 dólares anuales, explicó que quería dedicarse a hacer algo «noble». Muchos otros argumentan que quieren hacer un aporte positivo a la sociedad, contribuir a que el mundo sea un lugar mejor y hacer algo importante en un sentido *espiritual.*

Aquí nos encontramos con otro término que merece que se analice: *espiritual,* que puede significar:

1. Del espíritu o del alma; inmaterial, por oposición a material.

2. Personas de espíritu sensible y cultivado.

¿Querrán decir, entonces, que en el trabajo regular no hay lugar para el alma o el espíritu, o que el trabajo no contempla las necesidades de personas de espíritu sensible? Quizá podamos dar una definición de *trabajo* que incluya algo más que el cumplimiento de determinadas tareas con el propósito de obtener un salario. Imagine si pudiéramos crear un modelo de trabajo que incluyera trabajo, juego, ocio y la dimensión espiritual.

¿Sería descabellado pretender encontrar un trabajo que fuera satisfactorio, que se pudiera disfrutar, espiritualmente significativo y que, además, nos proporcionara un ingreso?

Richard Foster, en su libro *Prayer* [La oración], dice: «El trabajo de nuestras manos y nuestra mente es una oración puesta en práctica, una ofrenda de amor al Dios viviente». Y San Agustín agrega: «Trabajar es orar». ¿Es así como se siente en relación con su trabajo: que es su ofrenda y oración a Dios? ¿O tiene la impresión de que Dios mira hacia otro lado cuando usted se dirige a su trabajo?

¿Cómo hacer que nuestro trabajo sea una oración? Puede parecerle bastante difícil si piensa que sólo podemos orar de rodillas, juntando las manos y cerrando los ojos. Pero si consideramos que la oración es un tiempo que pasamos en la presencia de Dios, de allí se desprende que nuestro trabajo puede ser una manera de ocupar nuestro corazón y nuestro espíritu en algo que nos coloca en su presencia. Si no lo es, tal vez se trate de un uso cuestionable de nuestro tiempo, dones y recursos.

Vivimos en un tiempo privilegiado que nos permite ver los beneficios del trabajo, además de obtener un salario. La frustración que sienten incluso las personas que perciben ingresos altos me recuerda una y otra vez que, en última instancia, el dinero nunca alcanza a compensar por completo el tiempo y la energía invertidos sin alegría. El ser humano necesita una vida con propósito, con sentido y con logros. Recuerden la famosa jerarquización de necesidades propuesta por el psicólogo Abraham Maslow:

1. En primer lugar, necesito alimento, agua, aire, descanso, etc. (necesidades fisiológicas)

2. En segundo lugar, seguridad (¿tengo estructuras y estabilidad?)

3. Necesito un sentido de pertenencia y sentirme amado (¿les agrado a los demás?)

4. El siguiente es la autoestima (¿siento que soy capaz y me siento valorado?)

5. Por último, necesito realizarme (¿estoy haciendo aquello que soy capaz de hacer o aquello para lo cual tengo talento?)

La mayoría de nosotros no está preocupada por qué comerá esta noche; en cambio, sí le preocupa cómo llegar a hacer aquello que está llamada a hacer. Un trabajo que sólo nos proporciona seguridad no alcanza para que nos sintamos realizados. El trabajo no es el único componente de una vida plena y exitosa, pero puede ser un instrumento muy útil.

UN ESPÍRITU ABATIDO

Hace poco estuve con un señor de 61 años que había perdido el empleo nueve meses atrás. Después de un cierto período de desempleo, siempre sospecho que se han ido agregando otros problemas que afectan la calidad de vida. Y así fue: su esposa lo había dejado cuatro meses atrás; hacía cinco meses que su hija («mi única alegría») se había casado y se había ido a vivir a otro lugar; sus inversiones tenían menos de la mitad del valor que tres años atrás; la empresa lo había despedido después de 36 años de servicio pagándole una pequeña remuneración por despido; había perdido contacto con la iglesia y sentía que todos lo rechazaban. Tres semanas atrás había pagado la última cuota del préstamo hipotecario de la casa de sus sueños, que debería vender para resolver cuestiones relativas al divorcio. Un departamento en la ciudad sería su nuevo hogar.

¿Cómo seguir adelante? Proverbios 18:14 dice: «En la enfermedad, el ánimo levanta al enfermo; ¿pero quién podrá levantar al abatido?» Una de las versiones en inglés traduce: «¿qué esperanza habrá?»

Cada una de las áreas de nuestra vida necesita ir incorporando dosis de éxito. Si este fondo de reserva sufre quitas, y no logramos reponer nuestra reserva de éxito, sufrimos una suerte de «bancarrota» emocional en nuestro trabajo, nuestras relaciones y nuestras finanzas. En tiempos de crisis, dirigimos toda nuestra atención hacia el área más afectada, pero si acrecentamos las reservas de otras áreas podemos revertir el déficit y recuperar la dosis de éxito necesaria.

Éste es mi consejo: destine un tiempo a realizar ejercicio físico. Camine 4 km (2,5 millas) cuatro o cinco veces por semana; la actividad física alivia la tensión y estimula la creatividad. Busque un mentor o guía bien dispuesto. El éxito de Alcohólicos Anónimos se debe en gran parte a que los participantes cuentan con una persona a la que pueden llamar en los momentos de mayor desánimo. Lea materiales que sean de inspiración al menos durante dos horas diarias. Anótese como voluntario en alguna organización solidaria; ayudar a otros es una de las mejores maneras de aliviar nuestro propio dolor. Busque trabajo, aunque no sea el empleo soñado ni un gran avance en su carrera. Reparta pizzas o trabaje en la sección jardinería en un supermercado; lo importante es moverse en una dirección positiva mientras continúa preparándose para los logros a largo plazo.

Desgraciadamente, algunas pérdidas son irrecuperables y el sufrimiento nos debilita. Si percibe que su fondo de reservas se ha reducido demasiado, tome medidas drásticas para detener el drenaje hoy mismo.

¿CÓMO ESCOGEMOS EL TRABAJO QUE HABREMOS DE HACER?

Hoy, el ámbito laboral ofrece innumerables posibilidades. En generaciones pasadas, los hijos continuaban con el oficio o la profesión de sus padres pero, en el presente, los jóvenes reciben muy poca o ninguna orientación que los encamine en sus decisiones laborales. Ingresan al mundo del trabajo con poca experiencia laboral y poco conocimiento de la variedad de carreras, lo cual deriva en malas decisiones respecto de cómo orientar su vida. Con frecuencia decidimos qué carrera habremos de seguir en menos tiempo que lo que demoramos en decidir qué haremos durante el receso de primavera. Al preguntarle a un joven graduado de la Universidad cómo había tomado la decisión de especializarse en derecho penal, respondió: «El primer día de clases reunieron a todos los alumnos de primer año en un gran salón. Luego, anunciaron: "Los que escogieron contabilidad, sigan a esta señora a lo largo del corredor. Los que escogieron publicidad, vengan hacia aquí". Miré la hoja con la lista de las áreas de especialización, cerré los ojos y señalé un lugar con el dedo. El área elegida resultó ser derecho penal».

No se rían; es un procedimiento frecuente. ¿Quién sabe cómo escoger el área de especialización apropiada? Muchos egresados con especialización en

> *Escoge un trabajo que te guste, y no tendrás que trabajar ni un solo día de tu vida.*
> —CONFUCIO

administración de empresas descubrieron en el primer año que ésa era la especialización que les permitiría obtener el título en menos tiempo. He comenzado a ver graduados universitarios cuyo título es «estudios universitarios». ¿Les habrá resultado tan difícil elegir un área de estudio específica? A este paso, pronto habrá títulos por haber asistido a clase. Esto explica por qué diez años después de obtener el título, el 80% de los egresados de la Universidad está trabajando en algo que no tiene ninguna relación con su área de especialización. Y no hay nada de malo en ello. La Universidad es una experiencia que amplía nuestro horizonte; es raro que nos empuje hacia un túnel sin salida. Uno puede cambiar de dirección varias veces en el transcurso de su vida sin sentir que se ha descarrilado o que comienza de cero si tiene claro su llamado y éste funciona como una brújula que le permite mantener una dirección constante. Volveremos sobre esto en el capítulo 3.

LA AVARICIA NAVEGA EN AGUAS POCO PROFUNDAS

La primera tarea que les propongo a las personas que acuden a mi oficina es describir en pocas palabras su situación laboral presente.

Vean la respuesta que hace poco me dio un hombre joven: «La antítesis de mis expectativas personales y profesionales. Experimento diferentes niveles de insatisfacción: falta de sentido y propósito, una búsqueda a ciegas del dinero que-todo-lo-puede, una vida parasitaria navegando permanentemente en las aguas poco profundas de la avaricia propia». ¡Vaya! Qué declaración contundente y elocuente de que se ha tomado el rumbo equivocado y que el dinero nunca es retribución suficiente por la dedicación de nuestro tiempo y esfuerzo.

Seguidamente agregó: «Debido a las necesidades inmediatas que me impone la situación... opté por el camino de la menor resistencia, lo cual me ha acercado peligrosamente a la decepción y al desánimo. Como consecuencia de mis obligaciones financieras, no me permití la libertad de ir en pos de mis sueños, sino que me sometí a los límites impuestos por el cumplimiento de las deudas contraídas». Sentía que la realidad cotidiana lo atrapaba y había bloqueado todo intento de satisfacer sus verdaderas pasiones.

Afortunadamente, es posible encontrar nuevas posibilidades. Elaboramos un plan de largo plazo que le permitiría obtener un nuevo título y uno de corto plazo que le posibilitara desarrollar su excepcional habilidad para escribir. Tiene tiempo para hacer caminatas, correr una maratón, estudiar fósiles con sus hijos y participar en un club del libro. No hay razón para que la vida quede en suspenso. Siempre se puede encontrar la manera de aumentar la reserva de éxito en las áreas que consideramos importantes. Veremos que existen pocos obstáculos reales si logramos superar los creados por nuestra propia mente y ponemos toda nuestra creatividad en juego en la búsqueda de una solución. Y recuerden que deben disfrutar del viaje, comenzando hoy mismo. El éxito no es un acontecimiento futuro, sino el logro gradual y progresivo de metas significativas. Si no logra sentirse exitoso hoy, no lo será mañana.

Busque oportunidades que le permitan elevarse por encima de las aguas poco profundas de la avaricia.

Las expectativas de la generación anterior siguen cumpliendo un papel importante en la elección de la carrera. A lo largo de la historia, cada generación tuvo expectativas de que la generación siguiente tuviera más educación y más riqueza. Muchos de los estadounidenses que nacieron durante la posguerra —la generación de los *baby boomers*— alcanzaron las más altas distinciones académicas, invirtieron en gigantescas compañías «punto com» y depositaron millones en los bancos. ¿Qué se supone que deban hacer sus descendientes para superar esos logros? O podríamos plantear la siguiente situación: ¿Qué ocurriría si el hijo de un cardiólogo tiene una extraordinaria habilidad como carpintero? ¿Podemos estimular a ese joven para que sea un excelente carpintero, o se lo guiará hacia una carrera profesional?

Hace varios años conocí a un médico joven que había estudiado medicina en Harvard, igual que su padre y que su abuelo. A lo largo de su vida siempre había tenido los mejores automóviles y las mejores oportunidades. Sin embargo, algo fallaba. Cuando vino a verme se inyectaba heroína en los talones (la única parte de su cuerpo donde las venas todavía no habían recibido maltrato). Había ingresado a un hospital psiquiátrico en un intento de salvar su vida. Durante nuestra sesión de trabajo, me contó que de niño había soñado con manejar un camión.

En la actualidad, trabaja como médico del servicio de urgencias los fines de semana, lo cual le permite generar un buen ingreso, y durante la semana, conduce un camión de reparto. Se mudó al campo y está reordenando su vida.

Dice Proverbios 22:6: «Instruye al niño en el camino correcto, y aun en su vejez no lo abandonará». Se ha tergiversado este versículo para justificar la necesidad de atiborrar a los niños con principios espirituales a una edad en la que se los puede influenciar, con el fin de asegurarse de que su teología coincida con la de sus padres. Una lectura más honesta del texto original sería: «Capacita al niño de acuerdo con sus inclinaciones...» El desafío de ser padres consiste en descubrir de qué manera Dios ha dotado especialmente a ese niño y cómo podemos ayudarlo a desarrollar al máximo esos dones. Así, habrá ocasiones en las que el hijo de un médico tendrá habilidad para conducir camiones o ser carpintero o músico o misionero. Padres, maestros, pastores y otros adultos influyentes, aun cuando sean bienintencionados, fácilmente pueden guiar a un niño en la dirección equivocada si sólo tienen en cuenta las oportunidades que ofrece la sociedad como criterio para elegir una carrera. Para poder confiar en la elección de la carrera se debe mirar hacia adentro en busca de las características personales, y no hacia fuera para comprobar qué oportunidades existen.

Veamos otros ejemplos de influencias que nos llevan por el camino equivocado en la elección de una carrera:

- ¿En qué sectores habrá mayor demanda? La realidad nos muestra complejos industriales que se vuelven obsoletos en cuatro o cinco años, ¿cómo podemos predecir con exactitud qué empleos habrá en el futuro?

- ¿Qué trabajo es más seguro? La *seguridad* es un concepto muy escurridizo en el presente mercado laboral. En cualquier compañía o empleo la seguridad es mínima. La única seguridad radica en conocerse a sí mismo; ese conocimiento es la brújula que le permitirá encontrar el rumbo en medio de los inevitables cambios.

- ¿Cómo alcanzar un cargo, estatus y poder? Esta meta es esquiva, y produce un rápido desgaste.

- ¿Dónde puedo obtener los mayores ingresos? (es similar al punto anterior). Si convierte al dinero en su primer objetivo, es probable que éste se mantenga fuera de su alcance.

- ¿Qué tendencia muestran los avisos clasificados en los periódicos? Tal vez ésta sea la peor influencia, porque no contempla su singularidad como persona ni se ajusta correctamente a su vocación o llamado.

Ninguna de estas pautas lo ayudará a elaborar un *plan de vida.* Tenga en cuenta que conseguir un trabajo es sólo una de las herramientas que se emplean para lograr una vida con sentido. Creo que las siguientes preguntas son mucho más pertinentes a la hora de elegir una carrera o un trabajo:

Sé sincero contigo mismo, y de ello se seguirá, como la noche al día, que no puedas ser falso con nadie.
—SHAKESPEARE,
Hamlet, acto primero, escena III, Ed. Espasa-Calpe, Argentina, 1968, págs. 27 y 28.

- ¿Cuál será el propósito de mi vida? ¿Qué estoy llamado a hacer?

- ¿Cuál podría ser mi mayor contribución a los demás?

- ¿Qué es lo que verdaderamente me gusta hacer? (y cuando lo hago, siento que el tiempo pasa volando.)

- ¿Cuáles son los temas recurrentes en mi vida, aquellos que me atraen?

- ¿Cómo me gustaría que me recuerden?

Cuando no somos fieles a nosotros mismos, a las singulares características que Dios nos dio, perdemos autenticidad, creatividad, imaginación y la capacidad de innovar. Nuestra vida se convierte en una actuación, y acabamos montando un escenario en el que todas las demás áreas resultan comprometidas.

CUENTA REGRESIVA HASTA LLEGAR AL TRABAJO QUE LE GUSTA

1. ¿Quién le ofreció su primer empleo? ¿Qué trabajo hacía? ¿Cuánto dinero ganaba?
2. Si mira su vida laboral hasta el presente, ¿qué diría que fue lo más valioso, lo que realmente valió la pena?
3. Si cambia de empleo, ¿cambia también su propósito?
4. ¿Cree que su trabajo actual existirá dentro de cinco años?
5. En su opinión, ¿qué características clave debería tener una carrera o empleo ideal?
6. Cuando sueña despierto, ¿qué se imagina haciendo?
7. ¿Cuáles fueron los momentos más felices y de mayor plenitud en su vida?
8. Si no se produjera ningún cambio en su vida durante los próximos cinco años, ¿se sentiría conforme?

El desafío del cambio:
Reaccionar, responder o quedar atrapado

La dificultad atrae al hombre de carácter, porque es en la adversidad que el verdadero hombre se conoce a sí mismo.

—CHARLES DE GAULLE

El sufrimiento produce perseverancia; la perseverancia, entereza de carácter; la entereza de carácter, esperanza.

—ROMANOS 5:3 Y 4

«¿Todavía estoy a tiempo de hacer algo significativo con mi vida?» Hace poco conocí un joven de 27 años que me hizo precisamente esta pregunta. «Necesito que me diga –agregó– que haberme iniciado como abogado no significa que pasaré el resto de mi vida entre archivos. Debo encontrar una vez más la motivación para seguir adelante; creo que la he perdido».

¿Es demasiado tarde para este joven que marchaba en la dirección equivocada?¿A qué edad llegamos al punto donde no hay retorno y tenemos que conformarnos con la vida que elegimos o que otros eligieron por nosotros?

Cada vez escuchamos a más personas que dicen «Aun no sé qué me gustaría hacer cuando sea grande». Y no lo dicen sólo los jóvenes de 20 sino también las personas de 45 años. Por lo general, la gente lo reconoce con cierta vergüenza, pero la búsqueda de un propósito debe ser un proceso constante en nuestra vida. Debería sentirse preocupado si descubre que en su vida, hoy, sigue guiándose por las decisiones que tomó a los 18 años. Las cosas han cambiado; *usted* ha cambiado.

¿QUÉ TENDENCIA MUESTRA EL EMPLEO?

Desde 1920 y hasta mediados de los años 80, el sueño de la gran mayoría de los jóvenes estadounidenses era conseguir empleo en una gran empresa. El acuerdo tácito entre la corporación y el empleado era: *Si trabaja para nosotros durante toda su vida, nosotros lo cuidaremos.*

Pero en los 80, este acuerdo tácito se desvaneció. Alrededor de 20 millones de operarios, muchos de los cuales habían trabajado toda su vida en una misma empresa, quedaron sin empleo. ¿Qué había ocurrido? Alrededor de 50 años atrás, transcurría casi una generación antes de que la tecnología lograra sustituir el trabajo que realizaba una persona; ahora eso se logra en apenas cuatro o cinco años.

Las estadísticas del Departamento de Trabajo de los Estados Unidos (US Department of Labor) afirman que el 50% de los empleos que existirán en los próximos seis años, aún no se han creado. La agencia nacional de empleo temporal, StaffMark, anticipa que en los próximos cuatro años el 50% de la fuerza laboral será personal contratado. La revista *Time* señaló que en 2002 desaparecieron cerca de 1,2 millón de puestos de trabajo, es decir, 3.287 puestos diarios. Hoy, el empleo promedio en los Estados Unidos tiene una duración de tres años y dos meses. Según estas cifras, se puede prever que una persona tendrá, durante los 45 años de duración de su vida laboral, entre 14 y 16 empleos. Estos cambios exigen que cada uno de nosotros logre una idea definida de quién es y hacia dónde va, pues de lo contrario nos sentiremos víctimas de esos cambios. Veamos el impacto negativo que esto produce en las personas:

- El 70% de los trabajadores en los Estados Unidos sufre enfermedades asociadas al estrés.
- El 34% piensa que sufrirá agotamiento en su trabajo en los próximos dos años, según el Departamento de Salud y Servicios Humanos de los Estados Unidos.
- Los lunes se observa una mayor incidencia (33%) de los infartos de miocardio, según información publicada en el periódico *Los Angeles Time*.
- Se producen más muertes los lunes a las nueve de la mañana que cualquier otro día y hora de la semana, según los centros para la Prevención y Control de Enfermedades de los Estados Unidos.

- Los lunes se observa un aumento (25%) de las lesiones por accidentes de trabajo, según la revista *Entrepreneur*.
- La tasa de suicidio entre los hombres es mayor el domingo a la noche, al darse cuenta de que sus carreras, y quizá también su situación financiera, no responde a sus aspiraciones.

La buena noticia es que las pequeñas empresas contribuyen con más de dos millones de nuevos puestos de trabajo por año, lo cual supera largamente a los empleos perdidos. Por cierto, se trata de otra clase de empleo; muy posiblemente la compañía no le proveerá automóvil, ni un plan de jubilación (el famoso plan 401 k en los Estados Unidos) ni seguro médico, pero representan una interesante oportunidad de comenzar algo nuevo.

LAS EMPRESAS YA NO «DESPIDEN» EMPLEADOS

En un taller que se llevó a cabo poco tiempo atrás, las palabras para describir el despido fueron el centro de atención a medida que los participantes compartían sus historias. Según parece, en el ambiente laboral políticamente correcto, nadie echa o despide empleados. En 1980, se hablaba de «echar» a una persona. En 1985, se lo «despedía» o «declaraba prescindible». Al llegar los 90, se habló de «reducción de plantilla», y en el presente se habla de «optimización del personal», «reestructuración o rediseño de plantilla», «reingeniería organizacional», o «recalificación laboral». He oído que muchas personas han quedado en libertad de «buscar nuevas oportunidades». En la era de las computadoras, se «desinstala» a una persona y se le notifica el despido mediante un correo electrónico. Una mujer comentó que había sido parte de un «ejercicio de reducción de costos».

Hasta el momento, la expresión más descarnada que he escuchado aplicada a una persona es «excedente». ¡Vaya! ¡Qué agradable que a uno lo traten de esta manera después de 25 años de fiel servicio! Básicamente, se equipara a la persona con la situación del corrector líquido después de la llegada del corrector ortográfico.

No debe sorprendernos que la moral del resto de los empleados se vea afectada al ver triplicadas sus tareas y seguir percibiendo igual salario. Acaso deberán considerarse «afortunados» por conservar el empleo después que los más listos aceptaron un plan de retiro voluntario y consiguieron mejor empleo en otra parte.

Todo el mundo vive al borde de la obsolescencia del empleo y ante el umbral de las nuevas carreras que van surgiendo. Todo cambio es portador de nuevas oportunidades. Sin duda, no todos los cambios implican un crecimiento positivo, pero todo crecimiento positivo exige cambios. El cambio es previsible e inevitable, impersonal e implacable. No se trata de pensar si el cambio llegará o no, sino *cómo responderá cuando llegue.*

Los maestros de Thomas Alva Edison dijeron que era «demasiado tonto para aprender»; además, perdió sus dos primeros empleos porque era «improductivo». Como inventor, Edison realizó 10.000 pruebas infructuosas tratando de inventar la lamparilla eléctrica. Ante la pregunta de un reportero sobre qué se sentía después de tantos fracasos, Edison respondió: «No fueron 10.000 fracasos. La invención de la lamparilla eléctrica fue un proceso de 10.000 pasos».

El editor de un periódico despidió a Walt Disney porque «carecía de imaginación y no aportaba buenas ideas». Fue a la quiebra varias veces antes de construir Disneylandia. De hecho, la ciudad de Anaheim rechazó su propuesta para la creación del parque argumentando que sólo atraería a la chusma.

Debemos desarrollar una estrategia centrada en manejar el proceso de cambio y transformarlo en una fuerza positiva.

¿QUIERE SER UNA MARIPOSA O UNA CRIATURA ESTRAFALARIA?

Un hombre halló una crisálida de mariposa. Un día vio una pequeña abertura en la crisálida. Durante varias horas observó cómo la mariposa luchaba por salir a través del pequeño orificio. Pasado un tiempo, tuvo la impresión de que el proceso se había detenido, y que la mariposa no podía seguir avanzando. Fue entonces cuando el hombre decidió quitar el resto de crisálida que la envolvía para ayudar a la mariposa. La mariposa salió con toda facilidad, pero su cuerpo estaba hinchado y sus alas eran pequeñas y arrugadas. El hombre confiaba en que las alas crecerían hasta poder sostener el cuerpo, y que éste iría reduciendo su tamaño. Pero nada de esto ocurrió. La mariposa pasó el resto de su vida arrastrando su pesado cuerpo y sus dos alas arrugadas. Jamás pudo volar. El hombre, en su ansiedad y afán por ayudar, no comprendió que la dificultad impuesta por el capullo es la manera que Dios previó para que el líquido del cuerpo pase a las alas de la mariposa, lo cual le permite volar una vez liberada del capullo.

A veces, las luchas son exactamente lo que necesitamos. Si Dios quitara todos los obstáculos de nuestro camino, acabaríamos paralizados. No tendríamos fuerzas y ¡nunca llegaríamos a volar!

TIEMPO DE CAMBIO, TIEMPO DE NUEVAS OPORTUNIDADES

Tres orugas se arrastraban cruzando un campo. Al ver una mariposa volar por encima de ellas, la primera oruga dijo: «Miren a esa presumida allí arriba, revoloteando a nuestro alrededor, haciendo que nos sintamos unas estúpidas». La segunda comentó: «Te confieso que hay días en que me gustaría volar». La tercera miró hacia arriba y exclamó entusiasmada: «Yo la conozco. Era como nosotras. Si ella puede volar, yo también podré hacerlo».

Ante los cambios, la mayoría de nosotros reacciona como una de las tres orugas: nos sentimos amenazados o resentidos o entusiasmados por la posibilidad de progresar y alcanzar nuestras metas.

¿Cómo ve los cambios, como fuente de nuevas oportunidades o como una amenaza a la seguridad anhelada? ¿Y qué significa «seguridad»? Alguien podría creer que consiste en tener el futuro asegurado en una empresa que ofrece seguro médico, vacaciones pagas y un plan de jubilación, pero eso ya no existe. Hay muy pocas probabilidades de que la seguridad provenga de un empleo, una empresa o del gobierno. Dijo el general Douglas McArthur: «La seguridad reside en vuestra capacidad de producir».

Comparemos la definición de McArthur con la de George, un empleado que ha trabajado para la misma empresa durante 23 años, a pesar de que detesta su trabajo. No pudo disfrutar de buena parte de la vida de sus hijos, trabaja el día que su esposa tiene libre y su estado de salud ha empeorado. Sin embargo, no puede pensar en dejar la «seguridad» que le ofrece su trabajo.

Me gustaría explicarles cómo se atrapa a los monos en África: los nativos toman un coco y en uno de los extremos le hacen un orificio suficientemente grande como para que un mono introduzca la mano, y luego le atan una cuerda al otro extremo. Ahuecan el coco y colocan algunos cacahuetes en su interior. Por último, colocan el coco en un claro entre los árboles y se esconden sosteniendo el extremo de la cuerda. Cuando un mono se acerca, huele los cacahuetes e introduce la mano para tomarlos. Pero al tener el puño cerrado para sostener los cacahuetes, no puede sacar la mano de adentro del coco. Los nativos entonces tiran de la cuerda y logran apresar al mono porque el muy tonto es incapaz de soltar unos pocos cacahuetes que creyó que debían ser suyos.

La única seguridad que usted tiene radica en saber qué cosas hace bien. Conocer sus *áreas de competencia* le dará libertad en medio de los vaivenes de las políticas corporativas y los despidos inesperados.

Cierta vez le preguntaron a Wayne Gretzky cómo explicaba su excelente nivel como jugador de hockey sobre hielo. Respondió con elocuencia y sabiduría: «Simplemente iba al lugar donde sabía que el disco *iba a estar*». Un jugador promedio va hacia el lugar donde el disco está o estaba.

El cambio es inevitable, pero tiene aspectos positivos. Mediante incendios controlados se puede eliminar la maleza y de ese modo proteger del peligro a los árboles más altos. Muchos ambientalistas se han empecinado en impedir todo tipo de incendio controlado para quemar la maleza, y como consecuencia de ello hemos visto incendios forestales de enormes proporciones en los últimos años. Cuando inevitablemente se produce un incendio, la maleza provee un escenario ideal para que el desastre sea mayor e imposible de controlar. Quizá necesitamos algunos pequeños incendios que periódicamente cambien algo en nuestra vida con el fin de hacernos menos vulnerables a los grandes cambios.

¿TRAGEDIA O BENDICIÓN?
UNA CUESTIÓN DE PERSPECTIVA

Ocurrió años atrás, en Escocia. La familia Clark tuvo un sueño, y el matrimonio trabajó y ahorró para poder viajar a los Estados Unidos con sus nueve hijos. Después de varios años, finalmente tuvieron el dinero suficiente y los pasaportes para hacer las reservas en un moderno transatlántico que los llevaría a los Estados Unidos.

La familia esperaba con gran entusiasmo y expectativa el comienzo de una nueva vida. Sin embargo, siete días antes de la partida, el más pequeño de los hijos sufrió la mordedura de un perro. El doctor curó las heridas del niño, pero colgó un cartel amarillo en la puerta de la casa que indicaba catorce días de cuarentena como prevención por un posible caso de rabia.

Los sueños de la familia se derrumbaron: no podrían viajar a los Estados Unidos como habían planificado. El padre, cargando con su enojo y decepción, marchó al muelle a ver la partida del barco sin la familia Clark a bordo. Derramó lágrimas de impotencia y maldijo a su hijo y a Dios por su desgracia.

Cinco días más tarde, la terrible noticia recorrió Escocia y el mundo: el poderoso «Titanic» se había hundido. El barco imposible de hundir había cobrado cientos de vidas. La familia Clark debía haber estado a bordo, pero debido a que su hijo había sufrido la mordedura de un perro, se quedó en su tierra, allá en Escocia.

Cuando el padre escuchó la noticia, corrió a su casa, abrazó a su hijo y le agradeció haber salvado a toda la familia. Dio gracias a Dios por haber salvado sus vidas y por haber transformado una tragedia en una bendición.

¿Cuántas veces se sintió decepcionado o enojado a causa de algo que parecía una derrota o un fracaso? ¿Y cuántas veces, pasado el tiempo, descubrió que ese fracaso lo protegió de un desastre aun mayor o lo condujo a algo mejor? Podemos ver el fracaso como algo que nos obliga a comenzar de nuevo o como una oportunidad para marchar en una nueva dirección, sobre la base de la experiencia adquirida.

En numerosas ocasiones, al aconsejar a las personas en la búsqueda de una mejor carrera, compruebo que la pérdida del empleo o el fracaso en los negocios, que en un principio tuvo un impacto devastador en la persona, más adelante se lo ve como lo mejor que pudo haber pasado. No permita que la adversidad lo llene de amargura. Busque el germen de una nueva oportunidad en cada situación. Apóyese en lo que ya sabe y encamínese hacia esa nueva montaña que deberá escalar.

¡QUITA ESE CLAVO DE TU ZAPATO!

Un vecino vio a un perro viejo acostado en el porche de una casa. Oyó al perro emitir gemidos apenas audibles, de modo que se acercó y le preguntó al dueño a qué se debían los quejidos. El dueño le explicó: «Está acostado sobre un clavo». El vecino, intrigado, volvió a preguntar por qué no cambiaba de lugar, a lo cual el dueño respondió: «Será que todavía no le duele lo suficiente».

Muchas personas son como aquel perro viejo. Se quejan y se lamentan por su situación pero no hacen nada por cambiar. ¿Qué tan mal deberá sentirse para tomar la decisión de levantarse y comenzar a hacer otra cosa? Si se encuentra en un ambiente laboral negativo, mírese a usted mismo con una mirada nueva, decida a dónde le gustaría estar y elabore un plan de acción concreto para llegar a ese lugar.

El cambio, aun cuando no sea bienvenido, nos obliga a reconsiderar cuáles son nuestras mejores opciones. Los tiempos de transición son una buena oportunidad para buscar patrones recurrentes en su vida y hacer los ajustes necesarios para fortalecer los patrones que resultaron buenos y minimizar los malos.

Tenemos una increíble facilidad para caer en el hábito y la costumbre. Un tren genera una fuerza que le da gran impulso inicial para luego seguir marchando siempre por el mismo carril, pero se requiere una fuerza inusual o inesperada para hacer que el tren cambie de dirección. Así también nosotros, si no hay cambios, es muy probable que sigamos siempre por el mismo trillo.

El trabajo con profesionales a menudo me recuerda lo difícil que les resulta ver las cosas desde una perspectiva diferente. Se acostumbran a realizar una misma tarea siempre de igual manera y luego perciben todo cambio como una amenaza, aun cuando la situación presente sea adversa o frustrante. Están entrenados para verlo todo desde una perspectiva muy estrecha, y cualquier cosa diferente los atemoriza.

· ·

▶ CÓMO ENFRENTAR LOS OBSTÁCULOS EN NUESTRO CAMINO

En tiempos antiguos, hubo un rey que quiso poner a prueba a sus súbditos y, para lograr su propósito, hizo colocar una gran piedra en el camino que conducía a la ciudad. El rey se escondió para observar las reacciones de la gente. Pasaron ricos mercaderes y cortesanos de la corte, y simplemente rodearon la piedra y siguieron su camino. Muchos criticaron al rey a viva voz por no mantener los caminos en buen estado, pero ninguno de ellos hizo algo para quitar la piedra del lugar. Más tarde, pasó un campesino con una carga de verduras. Al llegar a donde estaba la piedra, dejó su carga en el suelo y trató de empujarla a un costado del camino. Después de mucho empujar y tironear, finalmente lo logró. Se disponía a recoger su carga de verdura, cuando de pronto vio un monedero en el lugar donde había estado la piedra. En su interior había monedas de oro y una nota escrita por el rey que indicaba que el oro era para la persona que quitara la piedra del camino. Aquel campesino aprendió lo que muchas personas jamás llegan a comprender: recompensas inesperadas aguardan a quienes toman la iniciativa.

Los obstáculos son esas cosas espantosas que aparecen ante nuestros ojos cada vez que desviamos la mirada de la meta.
—HANNAH MORE, citado en *Multiple Streams of Income* [Múltiples fuentes de ingreso], de Robert G. Allen

· ▶

Si le preguntamos a un grupo de 30 niños de segundo grado cuántos de ellos pueden dibujar, cantar o bailar, todos levantarán la mano y se ofrecerán a demostrar sus múltiples habilidades. Si interrogamos al mismo grupo cuando estén en el ciclo básico de educación secundaria, quizá la mitad de la clase reconocerá que tiene alguna de estas habilidades. Preguntémosle al mismo grupo llegados a los 35 años, y encontraremos dos, quizá tres, integrantes que admitan tener un buen desempeño en alguna de estas áreas. ¿Qué ocurrió? ¿Aceptaremos que todos ellos perdieron las habilidades que tenían en su niñez? En absoluto. La explicación es que nos acostumbramos a marchar en una dirección que nos es familiar en nuestra vida y descartamos muchas posibilidades por el camino.

Gran parte de mis logros como consejero reside precisamente en ayudar a la gente a redescubrir oportunidades una vez más, y a pensar en soluciones que nunca antes habían considerado. Un cambio inesperado puede contribuir a poner en marcha este proceso.

Preguntas frecuentes sobre la carrera laboral

1. *¿Debo buscar un trabajo y permanecer en él hasta que me jubile?*
   Como expliqué anteriormente, hoy, el empleo promedio en los Estados Unidos tiene una duración de tres años y dos meses, y el trabajador medio tendrá entre 14 y 16 empleos durante su vida laboral. Por lo tanto, debe tener una idea de cuál puede ser su aporte, que vaya más allá de una compañía u organización particular. En la actualidad, una carrera laboral seguramente implicará cambiar de una organización a otra, según un patrón de círculos ascendentes más que una escalera vertical. De hecho, es muy probable que un ascenso vertical dentro de una organización lo aleje de sus áreas de competencia más destacadas.

2. *¿Debo aprender a enfrentar los cambios?*
   El cambio es inevitable. Es implacable e indiscriminado. Nuestra única opción es decidir cómo habremos de responder. Si sabe cuáles son sus áreas de competencia más fuertes, está preparado y tiene una meta definida, mantendrá un sentido de continuidad, en lugar de sentir que comienza desde cero cada vez que deba cambiar de empleo.

3. *¿Cómo puedo evitar que mi vida dependa de mi trabajo?*
Primero, decida qué clase de vida quiere; luego, planifique el trabajo alrededor de esa vida. Asegúrese de ordenar bien las prioridades. Dé su tiempo a cambio de prioridades valiosas y no sólo a cambio de dinero. Abandone la idea de que si dedica más tiempo, obtendrá más éxito. Si le dedica más de 45 ó 50 horas semanales a su trabajo, está limitando la posibilidad de obtener satisfacción en otros órdenes. No espere que toda satisfacción, valor y sentido en su existencia provengan del trabajo que realiza. No olvide que debe ir acumulando pequeñas dosis de éxito en todas las áreas de su vida (ver capítulo 4).

4. *Si no quiero volver a trabajar en una empresa, ¿qué otras opciones tengo?*
Son muchas las personas que están adoptando nuevas modalidades de trabajo. Según cálculos de la Federación Nacional de Empresas Independientes, actualmente el 60% de los hogares estadounidenses alberga algún tipo de emprendimiento económico, y esta cifra crecerá significativamente en los próximos cinco años. Hay un sinnúmero de emprendimientos que puede organizar usted mismo (ver capítulo 10). Además, tiene a su disposición una variedad de modalidades de trabajo: consultor, trabajadores *freelance* o independientes, trabajador temporal, contratista independiente, etc.

5. *No tengo título universitario, ¿qué puedo hacer?*
Recuerde que el 85% de los ascensos y mejoras que las compañías ofrecen a sus empleados se debe a su capacidad y habilidad personal: actitud, entusiasmo, disciplina, manejo de relaciones interpersonales, etc. Los certificados de estudio y las habilidades técnicas o académicas aportan sólo un 15% en términos de avances en el campo laboral. Hoy, el ámbito laboral ofrece un campo de juego parejo para todos; si tiene la habilidad personal requerida, podrá hacer prácticamente cualquier cosa que desee.

6. *¿Debo enviar mi currículum vítae a quienes publican avisos clasificados?*
Sólo el 12% de los puestos de trabajo disponibles aparece en los clasificados. Debe aprender a encontrar los empleos antes de su publicación en el periódico. La gran diferencia entre el que busca empleo y lo consigue y el que no lo logra, no estriba en la educación, edad, habilidades o capacidades, sino en la manera de encarar la búsqueda (ver capítulo 7).

7. *Mi currículum vítae me ha encasillado en una rutina sin salida. ¿Qué puedo hacer?*

Modifique su currículum, y resalte aquellas áreas de competencia que tienen valor de transferencia en lugar de incluir descripciones de sus empleos anteriores. Destaque sus conocimientos en administración, planificación, ventas, mercadotecnia, capacitación, supervisión, análisis financiero, etc. Estas habilidades se transfieren de una empresa o profesión a otra (capítulo 6).

EJEMPLOS DE CAMBIO

El siguiente caso de una compañía que elaboraba ketchup en St. Louis, Estados Unidos, demuestra que la actividad comercial no ha declinado, aunque no hay duda de que está cambiando.

Veamos los cambios ocurridos en un período de diez años:

- Año uno: ventas anuales por valor de 100 millones de dólares con una plantilla de 960 empleados.
- Año dos: resulta más barato contratar una empresa externa para la impresión de las etiquetas con código de barras. Despiden a 20 empleados del sector imprenta.
- Año tres: comienzan a usar equipo especializado en la fabricación de las tapas de los envases; el nuevo tipo de sellado extiende de 14 a 24 meses la vida en estante del producto. El equipo no está a la venta; sólo pueden comprar las tapas terminadas. Despiden 45 trabajadores del sector de fabricación de tapas.
- Año cuatro: se presentó un nuevo proveedor de envases plásticos. Ofreció una reducción en los costos de un 30% por botella y se encargó de mezclar el ketchup, envasar, etiquetar y empaquetar el producto para su posterior embarque.
- Año diez: ventas anuales por valor de 300 millones de dólares con una plantilla de 25 empleados. Hoy, el costo por botella de ketchup es una tercera parte de lo que era diez años atrás. La compañía redujo el precio en un 50% y elevó sus ventas a 300 millones de dólares, únicamente con 25 gerentes de alto nivel encargados de coordinar los contratos con los proveedores.

Este ejemplo tomado de la vida real muestra cómo la empresa aumentó sustancialmente sus ganancias, a la vez que despidió al 97% de su fuerza de trabajo. Sin embargo, esos 935 empleados no están ociosos, sentados en la acera; diferentes compañías de reciente creación los incorporaron.

Lo bueno de este proceso es que el número de pequeñas empresas con posibilidad de absorber a estas personas desempleadas creció enormemente en los últimos quince años, y ahora ronda los 24,5 millones. En los últimos diez años, el 71% de los nuevos empleos que se crearon corresponde a pequeñas empresas, que generaron más de 2 millones de nuevos puestos por año, es decir, 5.479 puestos diarios. Actualmente, las pequeñas empresas emplean el 54% de la fuerza laboral de los Estados Unidos. Estamos en presencia de un saludable retorno al tipo de empresa sobre la cual se construyó nuestra nación.

En el área metropolitana de Nashville, Tennessee, una típica ciudad de los Estados Unidos, el 52,8% de las empresas registradas tienen entre 1 y 4 empleados, y sólo el 2,6% de las empresas tienen 99 o más empleados. Estas cifras muestran un cambio sustancial respecto del énfasis que solía ponerse en trabajar para las grandes corporaciones, que aseguraban un automóvil a cargo de la empresa, plan de jubilación, cobertura médica y «seguridad» a largo plazo. Si su búsqueda de empleo apunta sólo a esas corporaciones, debe saber que posiblemente quede limitado a algo menos del 3% de las compañías existentes. Amplíe y refuerce su búsqueda incluyendo en su lista a las compañías pequeñas con una organización simple y ágil.

¿QUÉ HACE MIENTRAS ESTÁ SIN EMPLEO?

En 1934, Charles B. Darrow, habitante de Germantown, en el estado de Pensilvania, quedó sin empleo. Para entretenerse y pasar el rato inventó un juego de mesa que daba la oportunidad de alcanzar fama y dinero. ¿El nombre del juego? *Monopolio.*

En la actualidad, es el juego de mesa de mayor venta en el mundo; se lo produce en 26 idiomas y se vende en 80 países.

Es interesante señalar que el autor lo presentó en primer lugar a los ejecutivos de Parker Brothers, que lo rechazaron porque encontraron ¡52 errores de diseño! A pesar de lo cual, el Sr. Darrow no se dejó amilanar sino que, impulsado por su situación y su pasión por el juego, decidió producirlo por cuenta propia. Con la ayuda de un amigo dueño de una imprenta logró vender 5000 juegos hechos a mano a una gran tienda en Filadelfia. La aceptación del público fue fabulosa. La demanda aumentó hasta el punto en que no podía cumplir con las órdenes, y decidió volver a Parker Brothers. El resto, como suele decirse, es historia. En su primer año, *Monopolio* fue el juego más vendido en los Estados

Unidos, y se estima que a lo largo de sus 65 años de vida lo han jugado unos 500 millones de personas.

Esto explica mi pregunta: ¿qué hace mientras está sin empleo? Una buena idea es todo lo que necesita para cambiar su vida.

CÓMO ENFRENTAR EL CAMBIO

Quizá se esté planteando algunas preguntas difíciles:

- ¿Es esto todo lo que hay?
- ¿Estoy haciendo lo que Dios quiere que haga?
- ¿Habrá un propósito para mi vida?
- ¿Equivoqué el rumbo en algún momento?

¿Está preparado para el cambio?

La mejor manera de afrontar el cambio es estar preparado para responder en forma adecuada.

Primero, mírese a sí mismo. Cuanto mejor se conozca a sí mismo, más fácil le resultará avanzar con confianza y decisión.

> *La vida que no se analiza no vale la pena ser vivida.*
> —SÓCRATES

Cuando llegue al cielo, Dios no le preguntará por qué no fue como la Madre Teresa; lo más probable es que le pregunte por qué no fue usted mismo. Su responsabilidad, y lo que le permitirá alcanzar verdadero éxito y libertad, es descubrir quién es usted. Comience a partir de sus dones y su personalidad que son únicos; sea auténtico con usted mismo y permita que Dios lo utilice.

Ayer por la noche, al regresar a casa después de una reunión, encontré a mi esposa y a mi hija mirando la película *Forrest Gump*. En una escena, Jenny pregunta: «¿Qué serás cuando seas grande?», y Forrest responde: «¿Por qué no puedo ser yo?»

Hace muy poco recibí una nota de alguien que preguntaba qué podía hacer para dejar de desear las cosas que no podría conseguir en esta vida.

> *El secreto del éxito depende de la claridad de propósito.*
> —THOMAS ALVA EDISON

Estamos ante una pregunta muy dolorosa o muy errada. ¿Cómo puede dejar de anhelar las cosas que quisiera tener? ¿Cómo permanecer insensible ante los deseos de su corazón? ¿Acaso podrá lograrlo consiguiendo un empleo que pague sus cuentas y tratando de olvidar toda posibilidad de hacer algo que realmente le guste? ¡Pues no lo creo! Defina sus deseos y expectativas, elabore un plan de acción, y comience a caminar en dirección a la meta que usted definió.

El conocimiento de sí mismo funciona como una brújula durante los tiempos de cambio. El conocido escritor Stephen Covey dice que la única manera de enfrentar el cambio es saber qué cosas en nosotros *no son cambiantes*. Es preciso que identifique ese núcleo no cambiante, sabiendo lo que usted vale y reconociendo que Dios le ha dado dones especiales. Equipado con ese conocimiento, puede atravesar los cambios sin perder el rumbo y sin torcer su propósito.

La búsqueda de empleo carecerá de sentido hasta que haya logrado centrarla en una meta que responda a sus necesidades.

El mero hecho de tener la *capacidad* de hacer determinada cosa no implica que ésa sea la tarea apropiada para usted. Éste es un punto fundamental que es preciso recalcar una y otra vez. Muchas personas tomaron decisiones equivocadas debido a que sólo tuvieron en cuenta la capacidad que tenían para determinada tarea. Al llegar a esta etapa de su vida, probablemente haya desarrollado la capacidad de realizar entre 100 y 200 tareas diferentes relacionadas con diferentes carreras.

Dennis tiene 43 años y es odontólogo. El año pasado sus ganancias superaron los 300.000 dólares. El número de pacientes sigue aumentando, y el éxito alcanzado en su profesión se ve reflejado en la magnífica casa que posee y las vacaciones que disfruta junto con su familia. Pero a pesar de todo esto, Dennis está en tratamiento por un cuadro de depresión, sufre crisis de pánico cada vez más frecuentes y siente pavor al tener que ir al consultorio. Durante el trabajo de consejería, surgió que si bien Dennis tiene gran capacidad como dentista, no está realizando su propio sueño sino el de sus padres. Recientemente puso en venta el consultorio y regresó a la Universidad para capacitarse como consejero de familia.

La genialidad radica en visualizar claramente el objetivo.

....

▶ LA GRACIA DE UNA INTERRUPCIÓN

Esta frase la escuché hace poco de labios de una señora a la que despidieron de manera sorpresiva. Al relatar lo sucedido, nos dijo que le habían otorgado «la gracia de una interrupción». Si nos detenemos en estas palabras, vemos que encierran un hecho muy positivo. La gracia se define como «cualidad que hace atractivo algo», y también «dar o consentir algo a alguien; benevolencia, favor». Sin duda, ambos elementos hacen referencia a cosas deseables. Interrupción, por otra parte, significa «corte o suspensión de una acción no terminada», y también «intervalo». Piense en el intervalo de un partido de fútbol en que los jugadores repasan el primer tiempo y planifican cómo mejorar el resultado en la segunda mitad. La pausa para descansar los ayuda a renovar fuerzas y concentración.

En lugar de sentir pánico por el despido, quizás usted o alguien a quien usted conoce, piensen que han recibido el don, la gracia de una interrupción.

EL CAMBIO SE AVECINA, ESTÉ O NO PREPARADO

- El ámbito laboral está impregnado de volatilidad. Progresivamente, las personas se desempeñarán en un ámbito, se retirarán por un tiempo cuando tengan posibilidad de hacerlo, se dedicarán a otra área, y así sucesivamente, probando un sinfín de variantes. La jubilación definitiva no llegará hasta una edad mucho más avanzada.
- La cobertura médica está desapareciendo.
- La Oficina de Estadística del Departamento de Trabajo de los Estados Unidos anticipa que se crearán 50 millones de nuevos puestos de trabajo en los próximos 4 años, pero no saben decir en qué consistirá el 50% de esos nuevos puestos.
- En los próximos seis años necesitaremos 6000 nuevas escuelas y 190.000 maestros en los Estados Unidos. No obstante, una enorme cantidad de docentes está abandonando las aulas que resultan ámbitos conflictivos.
- Dentro de 10 años, desde nuestra computadora tendremos acceso al 95% de los conocimientos que adquiere un ingeniero en la Facultad. En electrónica, el 50% de lo que un estudiante aprende en primer año, se habrá vuelto obsoleto cuando llegue al último año.
- Se ha producido un cambio notorio de trabajador manual a trabajador del conocimiento. La mayoría de nosotros recibe un salario por nuestra capacidad de pensar y crear más que por la cantidad de dur-

mientes de ferrocarril que colocamos por día.

- Vemos, además, una marcada tendencia a dejar de cobrar por hora para cobrar por resultado. No olvidemos que el pago por hora se introdujo no hace mucho; los trabajadores comenzaron a cobrar por hora a partir de la creación de las cadenas de montaje. Ahora estamos presenciando la vuelta al tipo de empresa sobre la cual se construyó Estados Unidos.
- La antigüedad no cuenta, sólo la productividad.
- En los Estados Unidos, Internet es el componente esencial del trabajo diario de casi 5 millones de trabajadores.
- En los Estados Unidos, 20 millones de personas trabajan en la modalidad de teletrabajo, es decir, trabajan en un lugar distante del espacio físico de la empresa.
- Los inmigrantes electrónicos actualmente compiten por empleo en todo el mundo. Gracias a la computadora, el fax y el teléfono celular, los trabajos se llevan a cabo superando las barreras geográficas. La atención al cliente, el suministro de datos, incluso estudios radiológicos y de laboratorio requeridos por un médico se realizan en países lejanos, a menudo con una significativa reducción de los costos.

Como consecuencia de esta volatilidad en el mundo laboral, muchas personas acaban subempleadas o trabajando en el lugar equivocado. El dicho popular «Gracias a Dios es viernes» es una buena síntesis de los sentimientos de los estadounidenses en relación con el trabajo: es un trago amargo, un mal inevitable y necesario por su valor de canje: nos sacrificamos para luego poder hacer lo que de verdad nos gusta. Lamentablemente, parecería que odiar el trabajo y menospreciar al jefe fuera un distintivo de honor.

Con seguridad debe haber una mejor manera de encarar la actividad a la que le dedicamos la mayor parte de nuestro tiempo cada semana.

«¡TODO COMIENZO ES AUSPICIOSO!»

La cita pertenece al rector de la Universidad de Oxford, que le dirigió estas palabras a los alumnos que ingresaron en 1944, mientras se combatía en una guerra mundial. Durante mi trabajo como consejero, acompañando a personas que atraviesan tiempos de cambio, con frecuencia quedo impactado por el desánimo, la frustración y el resentimiento que expresan. A la vez, he comprobado que esos sentimientos son señal de que la persona está mirando al pasado, a lo que ocurrió con anterioridad. Tan pronto logramos idear un plan para el futuro, esos sentimientos desaparecen y en su lugar surgen la esperanza, el optimismo y el entusiasmo. En todos los años que llevo como consejero, jamás he visto deprimida a una persona que tiene una meta y un plan definidos; depresión y metas claras no es una combinación posible.

En *El hombre en busca de sentido*, un libro pequeño de contenido extraordinario, Viktor Frankl relata sus observaciones en un campo de concentración en la Alemania nazi. La edad, la salud, el nivel de educación o la capacidad no eran indicadores de quién habría de sobrevivir al horror de aquel lugar. Se trataba más bien de una cuestión de actitud; sólo aquellos que creían que había un mañana mejor pudieron sobrevivir y, finalmente, salir de aquel campo.

¿Se siente desanimado? ¿No es feliz en su trabajo? ¿Acaba de perder su empresa? Propóngase un nuevo comienzo a partir de mañana. Todo comienzo es auspicioso.

CUENTA REGRESIVA HASTA LLEGAR AL TRABAJO QUE LE GUSTA

1. ¿Qué le sugiere la siguiente afirmación? «Todo avance exige cambios, pero no todos los cambios implican un avance».
2. ¿Qué afirmación propondría para definir su carrera laboral hasta el presente?
3. ¿Algún cambio en alguna empresa lo afectó? ¿De qué manera? ¿Cómo se sintió?
4. ¿Ha conocido el «fracaso» en su carrera? En caso afirmativo, ¿adónde lo condujo esa experiencia?
5. Cuando era niño, ¿qué metas y ambiciones tenía para su vida? ¿Cuáles ha logrado cumplir?
6. Nombre dos o tres personas que conozca y que le parezca que han cumplido sus sueños. ¿Qué recuerda de sus logros?
7. ¿Cómo imagina el momento de su jubilación?

Cómo elaborar un plan de vida

El trabajo es el amor hecho visible.
Y si no podéis trabajar con amor, sino solamente con disgusto, es mejor que dejéis vuestra tarea y os sentéis a la puerta del templo y recibáis limosna de los que trabajan gozosamente.
Porque si horneáis el pan con indiferencia, estáis horneando un pan amargo que no calma más que a medias el hambre del hombre.
Y si refunfuñáis al apretar las uvas, vuestro murmurar destila un veneno en el vino.
Y si cantáis, aunque fuera como los ángeles, y no amáis el cantar, estáis ensordeciendo los oídos de los hombres para las voces del día y las voces de la noche.
Y todo trabajo es vacío cuando no hay amor; cuando trabajáis con amor, os unís con vosotros mismos, y con los otros, y con Dios.

—KAHLIL GIBRAN, *EL PROFETA*

Rob era pastor de una iglesia que estaba creciendo y desempeñaba múltiples funciones relacionadas con su cargo: maestro, consejero, consolador, acompañante de enfermos, administrador y amigo. Sin duda, la mejor manera de canalizar su vocación de servir a Dios. Criado en una familia trabajadora, el deseo de Rob era hacer un aporte positivo a la sociedad, enseñar a la gente a vivir de acuerdo con las enseñanzas de Dios, obtener el reconocimiento de la comunidad y ser el sostén de su esposa e hijos. Sin embargo, experimentaba gran descontento. En su casa se mostraba irascible, y se sentía frustrado ante las exigencias de la congregación. Los problemas financieros eran una constante. Pero Rob estaba decidido a aferrarse a aquello que sin duda era su vocación. ¿Acaso las puertas que se le habían abierto no eran una confirmación de que marchaba en la dirección correcta?

¿Lo eran o no? La pregunta es cómo llegamos a determinar en qué dirección debe ir nuestra carrera. Vale la pena preguntarnos si las oportunidades que se nos presentan, la influencia de la familia, la educación recibida y los avances tecnológicos deben ser los factores con más peso a la hora de definir el rumbo.

¿ES SU TRABAJO SU VOCACIÓN?

Le propongo tomar tres conceptos clave como marco de referencia para ir avanzando en la toma de decisiones: vocación, carrera y trabajo. Solemos creer que son términos intercambiables, pero no lo son.

LA VOCACIÓN

El concepto de *vocación* es el más profundo de los tres y engloba la idea de llamado, propósito, misión y destino. Es la visión totalizadora, algo que muchas personas nunca logran descubrir para su vida. Las cosas que usted hace son su aporte a la sociedad, y eso es lo que le da sentido a su vida; años después, podrá mirar atrás y ver cuál fue su aporte a este mundo. Según Stephen Covey, todos queremos «vivir, amar, aprender y dejar un legado». Pues bien, será nuestra vocación la que deje un legado. La palabra *vocación* deriva del latín *vocare*, que significa «llamar». Da la idea de que escuchamos algo que nos llama, algo especial que es para nosotros. Un llamado es algo que debemos escuchar, poniéndonos en sintonía con el mensaje. La vocación, pues, no consiste tanto en perseguir un objetivo sino en escuchar una voz. Antes de poder decirle a mi vida lo que voy a hacer con ella, debo escuchar esa voz que me dice quién soy. La vocación no surge de la voluntad, sino del escuchar.

> *Cada uno ponga al servicio de los demás el don que haya recibido, administrando fielmente la gracia de Dios en sus diversas formas.*
> —1 PEDRO 4:10

Todas las personas tienen una vocación o un llamado; no es algo reservado para unos pocos elegidos que acaban siendo pastores, sacerdotes o monjes. Thomas Merton lo expresó de esta manera: «Un árbol da gloria a Dios por el sólo hecho de ser árbol, porque al ser lo que Dios quiso que fuera, obedece a su Creador». De igual manera, nosotros cumplimos nuestra vocación alcanzando la excelencia en aquello para lo que Dios nos creó. Todo lo que usted haga debe formar parte del cumplimiento de su vocación. Idealmente, su trabajo será un componente más de ese todo, pero en ocasiones es posible que no exista una relación directa.

Cualquiera puede realizar un «trabajo». Por ejemplo, usted puede seguir las instrucciones para dibujar una figura humana con palitos, pero seguramente el resultado no será considerado una obra de arte. Según el libro de Éxodo, mientras Dios le daba instrucciones a Moisés para construir el tabernáculo, le dijo: «He dotado de habilidad a todos los artesanos para que hagan todo lo que te he mandado hacer...», y Moisés les dijo a los israelitas: «Tomen en cuenta que el Señor ha escogido expresamente a Bezalel... y lo ha llenado del Espíritu de Dios, de sabiduría, inteligencia y capacidad creativa para hacer trabajos artísticos en oro, plata y bronce, para cortar y engastar piedras preciosas, para hacer tallados en madera y realizar toda clase de diseños artísticos y artesanías» (Éxodo 31:6; 35:30-33). Ésta es la clase de fundamento que quiero para mi trabajo. No basta la capacidad humana, necesitamos inteligencia y sabiduría divinas. Las máquinas pueden hacer gran parte de nuestro trabajo, pero las vocaciones brotan del corazón de la persona que ha podido obtener sabiduría divina.

LA CARRERA

Si nos detenemos en el origen de las palabras *vocación* y *carrera*, de inmediato percibimos la diferencia entre una y otra. *Carrera* deriva de la palabra *carro*, en latín, y en el diccionario encontramos la siguiente definición: «Acción de correr las personas o los animales; pugna de velocidad entre personas que corren». Podemos deducir que lo que define la carrera es el movimiento, la velocidad, pero podemos correr a gran velocidad durante un largo tiempo y no llegar a ninguna parte. Esto explica por qué en la realidad laboral presente, es posible que hasta los médicos, abogados, contadores públicos, odontólogos e ingenieros decidan apartarse del recorrido programado y cambiar de carrera. Una carrera marca una línea de trabajo, pero no es la única manera en que puede dar cumplimiento a su llamado. Así, puede tener diferentes carreras en diferentes momentos de su vida, e inversamente, dos o tres carreras diferentes pueden constituirse en soporte de su vocación.

> *Si el espíritu no trabaja junto con la mano, no puede haber arte.*
> —LEONARDO DA VINCI

Por ejemplo, para responder al llamado a «aliviar el dolor y el sufrimiento en el mundo», podríamos mencionar numerosas carreras: medicina, enfermería, consejería, pastorado, docencia, ciencia, política, literatura, etc. Por lo tanto, si en algún momento de su vida desea cambiar de carrera, vuelva a poner la mirada en su vocación y busque una nueva manera de llevarla a la práctica.

EL TRABAJO

El término *trabajo* es el más específico y concreto de los tres, y hace referencia a una actividad cotidiana que genera ingresos. El diccionario lo define como «ocupación, esfuerzo humano, obra resultado de la actividad humana». Ya hemos dicho que el empleo promedio en los Estados Unidos tiene una duración de tres años y dos meses, de manera que el trabajador promedio tendrá entre 14 y 16 empleos durante su vida laboral; por consiguiente, aunque el trabajo no puede ser el elemento determinante de su vocación o llamado, debe ser expresión de ese llamado y ser parte integral de su ministerio.

En hebreo, la palabra *avodah* significa «trabajo» y «servicio de adoración». Para los hebreos, la actividad desarrollada un jueves a la mañana era parte de su adoración a Dios tanto como asistir a la sinagoga el sábado. No hay ninguna indicación en las Escrituras acerca de una división entre lo secular y lo sagrado en la vida del cristiano. Por el contrario, en ellas encontramos un modelo de vida que reúne e integra todas las áreas, una vida en la que todo lo que hacemos es para servir a Dios, incluido nuestro trabajo cotidiano, sea el trabajo que fuere.

El trabajo va y viene, pero los vaivenes del empleo no deben desviarlo del cumplimiento de su llamado.

La toma de buenas decisiones en relación con la carrera requiere algo más que dar una mirada rápida a la oferta de empleo o las habilidades personales. La actividad en la que invertimos nuestro tiempo cada día de la semana debe contemplar las tres áreas cruciales mencionadas en la introducción: (1) *habilidad y capacidad,* (2) *rasgos de personalidad,* y (3) *valores, sueños y pasiones.* El error más común al elegir una carrera es decidir hacer algo simplemente a causa del buen desempeño que uno tiene en esa actividad. Un contador público que es bueno en matemáticas o un vendedor que tiene talento para persuadir, pueden sentirse frustrados, a pesar de sus habilidades, porque la carrera elegida los obliga a ser gregarios o a promocionar un producto que no les atrae. En cambio, trate de recordar los momentos más felices de su vida y los momentos en que se sintió más pleno; esas experiencias son mejores indicadores de su llamado que la mera identificación de sus capacidades. Las circunstancias por sí solas no son una buena guía para anticipar o descubrir el llamado de Dios. Muchas personas tomaron decisiones a muy temprana edad, guiadas por las circunstancias; y luego, a los 45 años, se dan cuenta de que los componentes fundamentales de su llamado no tienen cabida en su trabajo.

En el caso de Rob, el pastor frustrado, logramos identificar su pasión por la pintura. Sin embargo, la dificultad de ser el sostén de su familia, esposa y cinco hijos, convertía al dibujo y a la pintura en una opción poco práctica, otra variable que a menudo empuja a la gente en la dirección equivocada. Hoy, después de haber dejado el pastorado, se dedica a decorar casas elegantes mediante la técnica *faux finish*, logrando efectos magníficos con esponjas, trapos y pinceles. Crea obras de arte impactantes a partir de temas musicales que encienden su pasión espiritual. Tiene un ingreso ocho o diez veces mayor que antes y puede «ministrar» de manera más auténtica y más acorde con su personalidad. Cuenta que cuando era pastor la gente ya sabía qué debía esperar de él; ahora, en cambio, es un artista, y eso le abre oportunidades únicas de relacionarse con innumerables personas. Le cuentan sobre sus heridas, frustraciones y debilidades como jamás lo habían hecho con «el pastor». Ahora ve claramente que un trabajo directamente relacionado con la iglesia no es más «santo» si no es el trabajo adecuado para la persona. A cada uno de nosotros, Dios nos da características únicas. El primer paso para identificar el trabajo adecuado reside en reconocer nuestras habilidades y capacidad, los rasgos de nuestra personalidad y nuestros valores, sueños y pasiones.

Martín Lutero recomendaba: «Desaconsejo el ingreso al sacerdocio o a una orden religiosa, sea cual fuere, a toda persona que no posea este conocimiento y desconozca que las obras de los monjes y sacerdotes, sin importar la santidad o el fervor con que se realicen, no difieren un ápice a los ojos de Dios de las obras de un rústico campesino en el campo o de una mujer que se ocupa de las tareas de la casa, sino que para Dios, la fe es la medida de toda obra».

Imaginen un encuentro con tres operarios en la cadena de montaje de la planta Nissan en Tennessee; a cada uno de ellos le hacemos la misma pregunta: «¿Qué está haciendo?» El primero responde: «Soy soldador, y me pagan por hacer esto» (trabajo). El segundo dice: «Estoy armando un automóvil fabuloso» (carrera). El tercer operario piensa por un instante y luego responde: «Contribuyo a la creación de vehículos novedosos y seguros que serán utilizados por individuos, familias y empresas» (vocación). Los tres trabajadores realizan exactamente el mismo trabajo, pero lo definen como *trabajo*, *carrera* o *vocación* según la perspectiva particular de cada uno de ellos. Si comienza por

> *Tus ojos vieron mi cuerpo en gestación: todo estaba ya escrito en tu libro; todos mis días se estaban diseñando, aunque no existía uno solo de ellos.*
> —Salmo 139:16

comprender cuál es su vocación, experimentará una tremenda libertad al comprobar que hay gran cantidad de empleos que le darán la oportunidad de desarrollarla.

La visión bíblica sobre el trabajo

La Biblia le confiere dignidad a todos los trabajos; todas las ocupaciones son sagradas. Las expresiones «el llamado al ministerio» o «dedicación de tiempo completo al servicio» no son más que una distorsión, creada por nuestra cultura, de la visión que Dios tiene del trabajo significativo. Debemos eliminar las falsas jerarquías en relación con la santidad del trabajo. No hay ciudadanos de segunda clase en el ámbito laboral. Personalmente, doy gracias a Dios por la persona que se ocupa de arreglar el jardín de nuestra casa, y admiro y valoro enormemente la belleza que logra en el césped, las flores y los árboles que rodean la casa.

Por otra parte, desearía no recibir ninguna otra carta de personas que repentinamente descubren que están «llamados al servicio de la Iglesia a tiempo completo». Esto inmediatamente establece una falsa dicotomía entre los que son llamados y los que no lo son. Asimismo, podría agregar que es interesante ver la cantidad de personas que descubren su llamado al ministerio (lo cual significa que necesitan de aquellos que *sólo trabajan* para proveer sus necesidades) después de un largo período de desempleo. ¿Acaso puede ser el llamado de Dios el último recurso? ¿No debería ser la primera opción?

Pongamos el trabajo en perspectiva

La mayoría de los estadounidenses evalúa su vida en retrospectiva, sin tener una clara idea de dirección, propósito o destino para el futuro. Si no sabe hacia dónde se dirige, está condenado a que le suceda lo mismo.

He aquí algunas afirmaciones reveladoras acerca de la visión que algunas personas tienen de sí mismas:

- Empresario de 51 años: «Siento que he vivido toda mi vida por accidente».
- Esposa de un profesor universitario: «Siento que he vivido los últimos trece años en caída libre».
- Viajante: «Me siento como una bola en un juego de *pinball*».

- Conductor de autobús de 56 años, que posee un doctorado en Teología: «Siento que me dieron sólo seis segundos para cantar, y estoy cantando la canción equivocada».
- Empresario de 53 años: «La sensación que tengo es que mi vida es una película que está por terminar, y yo aún no compré las palomitas de maíz».
- Agente de cobranzas: «Hasta ahora he vivido mi vida como si condujera un automóvil sin quitar el freno de mano».
- «Exitoso» vendedor de automóviles de 46 años: «Me siento como un copo de algodón perdido en un alto algodonero».
- Ingeniero automovilístico de 39 años: «Soy una mariposa a la que una telaraña atrapó, y siento que lentamente la vida se me escapa».
- Técnico informático de 27 años: «Soy como una caja llena de partes, pero que ninguna encaja con las otras».
- Abogado de 31 años: «La Facultad de Derecho anuló mi vitalidad y mi creatividad».
- Una persona de 32 años que continuó en el negocio de la familia: «El carrusel de mi vida profesional me dejó prácticamente en el mismo lugar en que subí y con sensación de vacío en el estómago».

Estos sentimientos son habituales aun entre personas que tienen éxito. Es muy común llegar a un punto en la vida en que es necesario mirar con ojos nuevos lo que uno está haciendo y la dirección en la que está marchando.

APRENDER A LEVANTARSE UNA Y OTRA VEZ

Apenas nacida, la cría de la jirafa lucha para ponerse de pie. Pero casi de inmediato, la madre le hace perder el equilibrio obligándola a caer. Cada vez que la pequeña jirafa logra incorporarse, la madre repite el procedimiento, una y otra vez, hasta que la cría tiene fuerza suficiente como para permanecer de pie sin caerse. Aunque a primera vista puede parecer cruel, este entrenamiento es crucial para su supervivencia. Es, en verdad, un acto de amor de la madre hacia la pequeña. Para la joven jirafa, el mundo es un lugar lleno de peligros y debe aprender cuanto antes a ponerse de pie con gran rapidez.

El ya fallecido escritor Irving Stone, que dedicó su vida a estudiar la vida de grandes hombres como Miguel Ángel Buonarroti y Vincent van Gogh, entre otros, señaló una característica común a todos ellos: «No es posible derribarlos; caen, pero vuelven a levantarse una y otra vez».

La claridad de propósito le asegurará ese sentido de continuidad y satisfacción que lo guiará a través de los cambios que inevitablemente vendrán. Definir los objetivos con claridad lo llevará a aumentar la confianza, el valor y el entusiasmo para encarar la vida. Si no logra visualizar lo que espera alcanzar en el futuro, es altamente probable que acabe siendo una víctima de las circunstancias. Si quiere obtener resultados diferentes, debe implementar cambios en sus acciones presentes. De hecho, la *locura* se define como repetir siempre la misma conducta esperando obtener resultados diferentes.

> *No son las circunstancias las que hacen insoportable nuestra vida, sino la falta de propósito y de sentido.*
> —VIKTOR FRANKL

Si sabe hacia dónde va, responderá según las *prioridades* en lugar de hacerlo según las *circunstancias*. Proyecte a largo plazo, no actúe como el granjero de la fábula de Esopo *La gallina de los huevos de oro*. Aquel hombre, impaciente porque sólo obtenía un huevo de oro por día, decidió abrir el cuerpo de la gallina para obtener todos los huevos de una sola vez. Obviamente, su impaciencia le impidió ver que una gallina muerta no pone huevos, y perdió la oportunidad de seguir obteniendo el valioso metal. Vivimos en una sociedad que atribuye gran valor a lo instantáneo: horno microondas, fax, teléfonos celulares y hasta el café. Pero el verdadero éxito personal no se consigue de manera instantánea, sino que requiere una minuciosa planificación a largo plazo.

Asimismo, cuando hablamos de éxito, hablamos de equilibrio y de éxito en muchas otras áreas de la vida y no exclusivamente en la carrera y las finanzas. Muchísimas personas han sacrificado el éxito en un área para obtenerlo en otra. Manténgase firme en el propósito de alcanzar el éxito en varias áreas de su vida.

UN HOMBRE CON DOLOR DE MUELAS

Shakespeare dijo alguna vez: «Un hombre con dolor de muelas no puede sentirse enamorado», haciendo referencia al simple hecho de que la atención que demanda el dolor de muelas le impide ver otra cosa que no sea su dolor.

Cuando trabajo con personas que están atravesando un cambio laboral, suelo confirmar la premisa establecida por Shakespeare. He visto hombres maduros que ignoran a sus esposas, evitan encontrarse con amigos, miran demasiadas horas la televisión y comen en exceso. He visto mujeres que dejan de ir a la iglesia, gastan el dinero que no tienen, leen novelas románticas en lugar de libros que sean de inspiración y pierden la paciencia ante cualquier pregunta de los niños, por inocente que sea. El dolor de las necesidades relativas al empleo parece superar la salud, la vitalidad y el éxito que tienen en otras áreas de la vida.

El momento en que se debe cambiar de trabajo es una excelente oportunidad para revisar el éxito en las demás áreas. Incremente las reservas de éxito en el área del bienestar físico. La energía y la creatividad, frutos de una mente y un cuerpo alertas, pueden generar las ideas que necesita en este preciso momento. Lleve a los niños a comer a un lugar barato y disfrute de ese tiempo juntos. Organice un almuerzo o cena compartida con sus amigos –tal vez se sorprenda al comprobar cuántos de ellos atraviesan una situación similar. Escoja un buen libro para leer. Aun cuando sólo lea diez minutos por día, en un mes lo terminará, lo cual le permitirá modificar su visión de las cosas y prepararse para nuevas opciones. No pierda su espiritualidad. Lo ayudará a ver que en el marco de la eternidad, este acontecimiento no es más que un pequeñísimo punto en la línea del tiempo.

Éste ha sido el modelo característico en los Estados Unidos:

En este modelo, el trabajo ocupa un lugar central. Con frecuencia nos definimos más por lo que *hacemos* que por lo que *somos*. Cuando conocemos a alguien, generalmente la conversación comienza así: «Hola, Juan, soy Daniel. ¿A qué te dedicas?» A partir de esa breve respuesta, sacamos nuestras conclusiones acerca de la otra persona: su nivel de inteligencia, educación, ingresos y el lugar que ocupa en la sociedad. Al seguir este modelo, la idea que se tiene del valor de una persona depende de su trabajo. Los demás aspectos de nuestra vida forzosamente deben acomodarse a las exigencias del trabajo... si sobra tiempo. Esto provoca resentimiento, frustración, desequilibrio y pérdida de control. A la vez, nos hace muy vulnerables a lo que pueda ocurrir con ese trabajo, ya sea por circunstancias externas o por decisión propia, y el interrogante que surge es «¿quién soy?» Esto es lo que ocurre cuando nuestra identidad y valoración propia están indisolublemente asociadas al trabajo.

Necesitamos cambiar de paradigma:

Trabajo   Familia

Recreación   Comunidad   Iglesia

Desarrollo personal

Sin duda, su *empleo-trabajo-vocación-carrera* debe incorporar los dones que Dios le dio, sus aspiraciones y la manera en que desea que lo recuerden. Sin embargo, en igual medida, necesita alcanzar el éxito en otras áreas. Necesita un *plan de vida* en el que el empleo no sea lo único que cuente. Recuerde, un empleo no es más que una herramienta para tener una vida exitosa.

Su meta debe ser planificar el *trabajo* en torno de su vida, en lugar de planificar su *vida* alrededor del trabajo.

LA LOCA CARRERA DE LA VIDA MODERNA. MEJORE SU CALIDAD DE VIDA: IMITE A LAS RATAS

En inglés existe la expresión «carrera de ratas» *(rat race)* para describir la feroz competitividad de la vida moderna. Creo, sin embargo, que la imagen no les hace justicia a las ratas. El best seller *¿Quién se ha llevado mi queso?* mostró cómo hasta las ratas menos listas rápidamente buscan nuevos caminos al darse cuenta de que el queso ya no está, o nunca estuvo allí. Los seres humanos, por el contrario, parecen crear sus propias trampas de las que luego no logran escapar. Hay estudios que muestran que hasta un 70% de los empleados de oficina y administrativos están disconformes con su trabajo, aunque, paradójicamente, cada vez le dedican más y más tiempo.

Jan Halper, un psicólogo de Palo Alto, California, estudió la carrera profesional y la vida afectiva de más de 4000 ejecutivos de sexo masculino a lo largo de 10 años. Observó que el 58% de los que ocupaban cargos directivos intermedios sentía que había malgastado muchos años de su vida tratando de alcanzar sus objetivos, y lamentaban los muchos sacrificios realizados durante esos años.

Las ratas, en cambio, cambian de dirección tan pronto se dan cuenta de que el queso ya no está o tal vez nunca estuvo. Probablemente las ratas se sentirían avergonzadas de que las asocien con la «carrera humana», que implica conductas tan absurdas como seguir yendo, día tras día, a un lugar que uno aborrece.

Al prestar atención a otras áreas, aparte de su carrera, podrá reconocer patrones claros y prácticas comunes que lo ayudarán a definir cuál debería ser su carrera-ocupación-negocios-vocación. Es el proceso inverso, pero lo llevará a la plena realización personal. Muy a menudo la gente escoge una carrera porque el tío Carlos trabajaba en lo mismo o porque alguien les dijo que se podía ganar mucho dinero.

TRABAJAR SÓLO POR EL DINERO

«Nunca disfruté de mi trabajo como abogado». «Nunca tuve un propósito claro». «Siento que estoy destinado a algo mejor pero no sé por qué ni qué podría ser». «Trabajo sólo por el dinero».

Estas afirmaciones fueron dichas por un abogado que en su último empleo había estado seis meses enfermo a causa de una dolencia inicialmente provocada por estrés. Sin embargo se le presentó una nueva oportunidad en su carrera y ahora ocupa un alto cargo en una empresa incluida en la lista *Fortune 500*. Lamentablemente, una vez más presenta los primeros síntomas de la enfermedad: sensación de ahogo y dificultad para respirar.

En última instancia, el dinero nunca es retribución suficiente a cambio de entregar nuestro tiempo y nuestras energías. Necesitamos encontrar un sentido, un propósito y un ámbito de realización personal. Un trabajo, sea cual fuere, que no conjugue nuestros valores, sueños y pasiones nos provocará, llegado cierto punto, sensación de ahogo. Una vida bien vivida va más allá de generar un buen salario, aun cuando ese salario sea fabuloso.

Dice la Biblia en Eclesiastés 5:10: «Quien ama el dinero, de dinero no se sacia. Quien ama las riquezas nunca tiene suficiente. ¡También esto es absurdo!» Si el dinero es lo único gratificante de su trabajo, comenzará a ver señales de deterioro en su vida en lo físico, emocional, espiritual y en las relaciones interpersonales.

Me gustaría añadir un comentario. Ubicarnos dentro del campo de trabajo que nos gusta no significa que nuestra familia se alimentará de arroz y frijoles. De hecho, cuando nos ubicamos correctamente, no sólo alcanzamos sensación de paz y satisfacción, sino que, además, muy posiblemente el dinero comience a aparecer como si se hubieran abierto las compuertas de una represa.

En síntesis:

- Tome conciencia de que su carrera no es su vida; es simplemente una herramienta más para alcanzar una vida plena.
- No invierta toda su energía en una sola área; propóngase obtener logros en todas las áreas de su vida.
- Nuestra salud física influye directamente sobre la energía y creatividad que desplegamos en el trabajo.

Combine sus sueños y un plan de acción detallado para diseñar su nuevo futuro.

Un plan de acción lo hará diferente del 97% de las personas que conozca. Todo el mundo tiene sueños, pero muy pocos convierten esos sueños en metas. La diferencia entre un sueño y una meta es que la meta es un sueño con plazo para su ejecución.

CUENTA REGRESIVA HASTA LLEGAR AL TRABAJO QUE LE GUSTA

1. Hoy, frente a una realidad laboral de cambios vertiginosos, ¿es realista aspirar a un empleo que proporcione algo más que un salario?

2. ¿Sintió algo semejante a un llamado alguna vez en su vida? ¿Cómo llegó a *oír* ese llamado?

3. ¿Cree que Dios sólo llama a unos pocos?

4. ¿Es razonable aspirar a que nuestro trabajo sea parte del cumplimiento de ese llamado?

5. Actualmente, ¿cómo describiría su trabajo? ¿como un empleo, una carrera o una vocación?

6. ¿Qué significa la palabra *éxito* para usted, en este año en particular?

7. ¿Se encuentra en el lugar donde pensó que estaría en esta etapa de su vida?

8. Cada noche, al regresar a su casa, ¿siente que todo tiene sentido y propósito, y que está logrando lo que anhelaba?

9. Si desea obtener diferentes resultados el próximo año, ¿qué cambios deberá implementar en las actividades que ahora desarrolla?

Ruedas, metas y acciones concretas

En verdad, el trabajo debe ser considerado como una actividad creadora llevada a cabo por amor al trabajo mismo; y el hombre, creado a imagen de Dios, debe hacer cosas, como lo hizo Dios, por el gusto de hacer bien algo que bien vale la pena hacer... El trabajo es la actividad y función natural del hombre, una criatura que fue hecha a imagen de su Creador.
—DOROTHY L. SAYERS, *WHY WORK?* [¿POR QUÉ TRABAJAR?]

«SANTA IGNORANCIA»

El pastor Jones se dejó hundir en el sillón grande de mi oficina. Tenía los hombros caídos e intentaba trabajosamente relatar lo sucedido en los últimos días. Después de 19 años de fiel servicio como pastor, acababan de informarle que no renovarían su contrato. El mensaje pudo haber sido transmitido con amabilidad, pero él lo recibió como un golpe: lo habían despedido. ¿Cómo podía ocurrirle algo así a un hombre de Dios? Un hombre que había dedicado su vida a servir a Dios a través del trabajo en la iglesia, la expresión de servicio que gozaba de mayor reconocimiento en la sociedad. Su enojo y la sensación de haber sido víctima de una traición brotaban incontenibles a medida que comenzamos a analizar sus opciones para salir adelante.

Sin embargo, la descripción de los últimos años mostraba la aparición de varias señales de advertencia que no se habían tenido en cuenta. El pastor Jones estaba llamativamente excedido de peso, señal de que había compensado parte de su frustración a través de la comida. Tomaba medicamentos a causa de un cuadro depresivo y estaba en tratamiento por una úlcera sangrante. ¿No era todo esto signo inequívoco de una vida desequilibrada? ¿No creen que Dios usa el malestar físico para alertarnos sobre algo que no está funcionando bien? Al preguntarle a este hombre, amable y consagrado, cómo veía su vida presente, descubrí la ingenuidad de su visión teológico-religiosa. Él creía sencillamente que si nos entregábamos a Dios, de algún modo, las cosas funcionarían. Según él, era culpable de vivir en una «santa ignorancia». La expresión me impactó, y ha rondado mi mente desde entonces.

Santa ignorancia es la creencia de que si amamos a Dios y le entregamos nuestra vida, todo se solucionará. Y santa ignorancia es, además, expresión de un pensamiento teológico inmaduro. Si cada mañana se levanta con la agenda en blanco, a la espera de lo que habrá de suceder, su vida no escapará de la mediocridad. Ése no es el camino de la plenitud, de la excelencia, el camino que nos lleva a maximizar nuestro aporte y testimonio. Seguir el camino del menor esfuerzo –avanzar por donde resulte más fácil– produce dos cosas: arroyos de recorrido sinuoso y cristianos frustrados. Una vida verdaderamente consagrada tiene un propósito claro puesto que, igual que Pablo, se propone una meta y prepara un plan para alcanzarla.

El conocimiento de la voluntad de Dios no es un juego de adivinanzas en el que tenemos un rol pasivo. Por el contrario, se trata de apropiarnos de lo que Dios ya nos ha revelado y, a partir de allí, elaborar un plan de acción. La revelación de Dios nos llega a través de nuestro cuerpo, mente, espíritu y corazón. Por supuesto, somos obedientes a la voluntad de Dios, pero Dios no es un patrón autoritario, y no lo obligará a sentirse desdichado día tras día. El secreto para proyectar una carrera que nutra tanto al alma como la cuenta bancaria reside en descubrir ese preciso punto donde coinciden «lo que usted más disfruta y lo que el mundo más necesita», según lo expresó el teólogo Frederick Buechner. Allí encontrará un trabajo, una carrera, una actividad y una vida que vale la pena ser vivida. No podemos convencernos de hacer algo que naturalmente no disfrutamos, sin importar qué tan espiritual ese algo les parezca a las personas a nuestro alrededor.

Durante años el pastor Bob se había lamentado por la falta de cooperación de su congregación. Los miembros se mostraban lentos para actuar y apoyaban muy tímidamente sus propuestas de cambio y crecimiento. Esa resistencia se reflejaba en la falta de respaldo económico, de modo que el pastor tenía dos repartos de periódicos que implicaban levantarse a las tres y media de la mañana los domingos y repartir periódicos durante tres horas antes de predicar. Su esposa tenía un trabajo muy estresante, pero necesario para incrementar los magros ingresos. Y sin embargo, todo se justificaba porque él «servía a Dios». Cuando era joven mostró interés por la ingeniería, pero lo descartó porque una persona muy influyente afirmó que Bob estaba *llamado* a predicar. Y aun hoy seguía empeñado en cumplir aquella expectativa aunque no percibía ninguna señal que le confirmara que estaba en el lugar donde debía estar.

¡Qué panorama desolador! Dios no nos llama a esta clase de vida. Esta santa ignorancia no es excusa para vivir una vida de desajustes, sin alegría ni satisfacción, sin un claro sentido de realización. Si usted es barrendero, haga su trabajo con alegría. La Biblia no establece categorías, no considera algunos trabajos más consagrados que otros; esas diferencias aparecieron con el cristianismo de la modernidad. Mire de qué manera Dios lo ha dotado de habilidades y capacidades únicas, de rasgos personales y también de valores, sueños y pasiones. Es allí donde encontramos el camino cierto que fue trazado para nosotros y que nos conduce a una vida con propósito.

LA RUEDA DE MI VIDA

Cada una de las categorías en la rueda que ve aquí abajo representa un área de nuestra vida. Marque su puntaje coloreando cada una de las secciones según el grado de éxito que cree haber alcanzado en esa área (*diez* es el puntaje máximo; y el puntaje mínimo, *uno*, se ubica en el centro de la rueda y significa que debe trabajar más en esa área.)

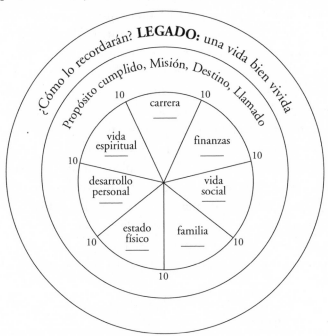

Usted sabe qué ocurre cuando una rueda está desequilibrada; otro tanto sucede con una vida desequilibrada. A nadie le gusta acabar en el hospital con un infarto de miocardio aunque tenga 5 millones de dólares en el banco. Y nadie quiere tener un perfecto estado físico pero sufrir el rechazo de familiares y amigos. No se justifica alcanzar el éxito en un área a expensas de sacrificar el éxito en otra. Tome la decisión ahora mismo de alcanzar el éxito en las siete áreas. Aprenda a reconocer qué situaciones representan una quita y cuáles aumentan las reservas tanto en lo físico como en lo espiritual, en las relaciones personales, etc. Si no tiene metas definidas en cada una de estas áreas, lo que haga con su vida reflejará los deseos de las personas que lo rodean.

«NECESITO ORAR (¿O ES QUE ESTOY INDECISO?)»

Con frecuencia, en mi trabajo como consejero, veo personas paralizadas a causa de la indecisión. Hace poco, un señor me dijo que había trabajado en la misma compañía durante 17 años y que odiaba su trabajo desde hacía 16 años y 11 meses. La pregunta era obvia: «¿Por qué sigue allí?» Pero el tomar una decisión lo atemorizaba tanto que seguía haciendo un trabajo que detestaba por su incapacidad para cambiar.

Una respuesta frecuente de los cristianos cuando la necesidad los confronta a tomar una decisión es: «Debo orar antes de decidir». Si bien es una actitud admirable desde el punto de vista espiritual, a menudo he visto que esta frase no es más que una excusa socialmente aceptada para evitar tomar una decisión. Pasan los días, las semanas y los meses sin que la situación se resuelva. Insisto, repetir una misma conducta y esperar resultados diferentes es signo de locura. Y permanecer en la indecisión ocultándose detrás de una cortina de humo espiritual tampoco produce un cambio en los resultados.

Hoy, el mercado laboral ofrece muchas posibilidades; hay trabajos nuevos y muy interesantes. Las cifras de desempleo son relativamente bajas, y las compañías necesitan con urgencia incorporar nuevo personal. Existen en los Estados Unidos 24 millones de personas que han decidido comenzar su propia empresa. No obstante, el descontento y la frustración en el trabajo siguen siendo una realidad, incluso entre los cristianos. No hay mucha explicación para esto, fuera de la ausencia de un propósito claro y la parálisis que causa la indecisión.

¿Se puede vivir con el resultado de nuestra propia inacción? Debe saber que el no tomar una decisión ya es una decisión.

Un estudio recientemente realizado por la Facultad de Administración de Empresas de la Universidad de Harvard, planteó la siguiente pregunta: «¿Cuáles son las características sobresalientes de los triunfadores?» Por supuesto, las respuestas mencionaban inteligencia, educación y actitud. Pero una característica destacada, que encabezaba la lista, era «rapidez de implementación», es decir, la capacidad de actuar en forma inmediata. El 80% de las decisiones deben tomarse en forma inmediata.

Jim Rohn hace referencia a este punto en su libro *Facing the Enemies Within* [Cómo enfrentar a los enemigos dentro nuestro]: «La indecisión es la mayor responsable de la pérdida de oportunidades». O piense en esta cita de Dwight Lyman Moody: «Los errores que cometí en mi vida, los cometí por pensar dos veces».

La Biblia agrega su palabra de sabiduría en Santiago 1:6-8: «Pero [...] pida con fe, sin dudar, porque quien duda es como las olas del mar, agitadas y llevadas de un lado a otro por el viento. Quien es así no piense que va a recibir cosa alguna del Señor; es indeciso e inconstante en todo lo que hace».

La indecisión tiene un efecto paralizante. Y la indecisión en un área tendrá un efecto negativo en otras áreas de la vida. He visto padres inseguros a la hora de escoger una escuela para sus hijos, que pasan meses prácticamente imposibilitados de actuar, torturándose por la toma de una decisión. He conocido trabajadores frustrados que permanecen en un entorno corporativo nocivo por su incapacidad de salir en busca de algo diferente. Y he visto cómo personas dueñas de su propia empresa dejan que su negocio marche lentamente hacia el fracaso debido a que no pueden tomar la decisión de poner fin a un endeudamiento creciente.

Mi esposa Joanne y yo hemos puesto en práctica un sencillo procedimiento durante los 36 años que llevamos casados. Cuando nos vemos confrontados con una decisión, establecemos un tiempo límite de dos semanas. Ya sea que debamos decidir a dónde mudarnos, qué automóvil comprar, qué hacer en relación con la carrera o el trabajo o cómo manejar una relación difícil con un familiar, seguimos estos pasos:

1. Plantear el problema.

2. Pedir opiniones y consejos de otras personas.

3. Enumerar las alternativas.

4. Escoger la mejor alternativa.

5. Actuar.

Sin duda, este proceso debe ir acompañado de oración. Pero si diariamente caminamos con Dios, eso nos dará confianza para avanzar con rapidez en la toma de la mayoría de las decisiones.

También usted puede afrontar con éxito el desafío de tomar decisiones categóricas. No sea indeciso e inconstante en lo que hace. Por el contrario, camine con la fortaleza, la confianza y el valor que provienen de actuar según nuestras propias decisiones.

LA FORTALEZA DE TENER UNA META

Disponemos de considerable evidencia para afirmar que las expectativas que tenemos sobre el futuro, en verdad, tienden a crear ese futuro. El Dr. Paul Yonggi Cho, que lidera la Iglesia más grande del mundo, ha dicho: «Lo que tiene en su corazón, se convierte en su experiencia».

Las metas definidas con claridad liberan nuestro potencial, y las cosas comienzan a suceder.
—ZIG ZIGLAR

Con frecuencia las personas llegan adónde esperan llegar.

Parece razonable, pues, dedicar algún tiempo a definir expectativas concretas y valiosas que le den más sentido a nuestra vida. No olvide que sólo el 8% de la población tiene metas claramente definidas y apenas el 3% llega a ponerlas por escrito. Me refiero a metas concretas, no a los deseos del tipo «quiero una casa más grande y un automóvil más moderno». Siguiendo el proceso que le propongo, rápidamente puede ubicarse en la categoría del 3%, y tenga en cuenta que finalmente ese 3% logra más que el 97% restante.

Recuerde que durante este proceso de planificación de su vida y su carrera deberá identificar:

1. Sus habilidades y capacidades.
2. Sus rasgos de personalidad.
3. Sus valores, sueños y pasiones.

Al integrar las áreas identificadas con oportunidades de trabajo reales que sean apropiadas para su perfil, podrá definir esas áreas en términos de metas. El siguiente proceso lo ayudará a concentrarse en un objetivo. Quizá sienta que le estoy exigiendo respuestas demasiado rápidas, pero lo cierto es que si no comienza por tomar algunas decisiones, se sentirá tentado a postergarlas y su historia volverá a repetirse. A menudo una decisión rápida es la mejor decisión y, sin duda, es mejor que ninguna. Nunca olvide que la locura consiste en hacer siempre lo mismo y esperar resultados diferentes.

No es necesario escribir las metas con términos concretos, pero debe darle un punto de partida y de llegada. Lo importante es comenzar a trabajar sobre ellas; su vida sólo tiene sentido cuando usted trabaja en pos de aquellas metas que le darán plenitud de sentido a su vida.

En última instancia, el éxito no es más que *el logro gradual y progresivo de metas significativas.*

▶JARDINERO DE SU PROPIO JARDÍN

Nuestra mente es como un jardín; allí crece todo lo que nosotros dejemos que eche raíz.

«Igual que un jardinero cuida su parcela y la mantiene libre de hierbas, y cultiva flores y frutales para satisfacer sus necesidades, así también deben los hombres cuidar su mente, como un jardín: arrancar todo pensamiento malo, inútil o impuro, para poder cultivar pensamientos justos, provechosos y puros, que conduzcan a la perfección. Al poner en práctica este procedimiento, el hombre, tarde o temprano, descubrirá que él es jardinero principal de su jardín y quien dirige su vida. Asimismo, se ponen de manifiesto en su interior las leyes del pensamiento, y comprende, cada vez con mayor claridad, de qué manera operan la fuerza del pensamiento y los elementos de la mente en la conformación de su carácter, circunstancias y destino»

James Allen, *As a Man Thinketh* [Así piensa el ser humano]

Dirija su propio destino ejerciendo el control sobre las cosas que llegan a su mente. Los libros que lee, los pensamientos que tiene, los programas de televisión que mira, las conversaciones en las que participa, las personas con quienes comparte su tiempo y la música que escucha, todo se conjuga para forjar su futuro. ¿Está plantando las semillas de la vida que le gustaría tener de aquí a cinco años?

Para poder cumplir su propósito en la vida, debe fijar metas en diferentes áreas. El éxito no sólo se asocia con una carrera o con la situación financiera; la familia, la salud física y la vida espiritual son aspectos igualmente importantes, y son parte de un todo indivisible. Éste es el concepto de persona integral que propone *48 días para amar su trabajo*.

El tiempo es el único recurso que no podemos recuperar. ¿*Gasta* su tiempo o lo *invierte*? Recuerde: *Una meta es un sueño con plazo para su ejecución*.

Revisión personal: Mi situación actual

1. En este momento, ¿siento que falta algo en mi vida, que es importante para mí? __SÍ__NO

2. Sé qué cosas me apasionan. __SÍ__NO

3. Soy organizado, sé cómo ordenar y concentrarme en las prioridades, y logro completar varios trabajos en el día. __SÍ__NO

4. Puse por escrito un plan estratégico para mi trabajo y mi vida personal con plazos y evaluaciones cuantificables. __SÍ__NO

5. Dispongo de mucho tiempo para dedicarle a mi familia y vida social, y me siento satisfecho con el equilibrio logrado. __SÍ__NO

6. Hago ejercicios cuatro o cinco veces por semana para sentirme bien físicamente. __SÍ__NO

7. Estoy alcanzando en forma regular los ingresos que me había propuesto. __SÍ__NO

8. Mi vida refleja mis valores espirituales, y estoy creciendo, madurando y adquiriendo más sabiduría en esta área. __SÍ__NO

9. Estudié y puse en práctica ideas nuevas y creativas que se me ocurrieron el año pasado. __SÍ__NO

10. Creo que estoy cumpliendo mi misión en la vida. __SÍ__NO

CUMPLIR MIS SUEÑOS

Hace muy poco, en una sesión de consejería, un joven me dijo: «Mi temor es que llegue a descubrir lo que realmente me gusta cuando ya sea demasiado viejo para disfrutar de la vida haciendo eso que me gusta». Vaya, qué buen ejemplo de conflicto aproximación-evitación. Me recuerda los ejemplos del curso de Introducción a la Psicología: el niño desea tomar una galleta, pero si estira la mano, recibirá un golpe en los dedos.

¿Qué diremos del miedo expresado por este joven? ¿Cuándo se cruza la línea y se llega a esa edad en que es mejor no desear ni escuchar acerca de una vida más plena, sino simplemente limitarse a seguir existiendo hasta que llegue la muerte? ¿Será a los 35, a los 50 o a los 70 años? He conocido jóvenes de 27 años que temían haber perdido la oportunidad de tener una vida plena. Puede que así sea si su sueño era jugar de *quarterback* en el Súper Tazón (campeonato de la liga profesional del fútbol americano), pero para la mayoría de nosotros, la realización de nuestros sueños no se limita a un solo acontecimiento.

Identifique los temas recurrentes en las cosas que le interesan. Tal vez sea la pintura, la música, los niños, los ancianos, los automóviles, el cuidado de los demás, los pájaros, leer, volar... No piense que los sueños deben ser novedosos o revolucionarios. Todos conocemos la historia de alguna Susie que vende caracolas a la orilla del mar, pero la mayoría de las vidas vividas en plenitud se ven como vidas corrientes a los ojos de un espectador. Vemos que incluso aquellos que llegan a hacerse ricos no se dedican a una actividad extraña; más bien el elemento clave es que se dedican a algo que verdaderamente disfrutan.

Tenga confianza en que sus sueños pueden cumplirse. ¡No se conforme con menos!

LAS METAS

Cualquier etapa de nuestra vida puede ser un tiempo apasionante lleno de oportunidades o un tiempo oscuro de confusión y encierro. Quizás usted no pueda cambiar las circunstancias, pero puede tomar la decisión de no dejarse dominar por ellas. Siempre tiene opciones entre las cuales escoger.

Poner las metas por escrito tiene un efecto mágico. He visto personas que modificaron los niveles de éxito alcanzados de manera casi inmediata por el simple hecho de definir con claridad sus objetivos y ponerlos por escrito.

> *Comienza a tejer*
> *y Dios proveerá*
> *el hilo.*
> —PROVERBIO ALEMÁN

Destine un tiempo a definir expectativas valiosas y concretas que le den a su vida un sentido pleno. Si no ha puesto por escrito su plan de vida, tendrá la sensación de que está conduciendo un automóvil sin sostener el volante entre sus manos.

El 6 de mayo de 1954, Roger Bannister logró por primera vez bajar la marca de cuatro minutos en la carrera de una milla. Varios médicos habían dicho que no sería posible, que el corazón humano no resistiría tamaño esfuerzo. Seis semanas más tarde, un corredor australiano repitió la hazaña. Aproximadamente un año más tarde, durante una competencia de atletismo, ocho corredores universitarios bajaron la marca de los cuatro minutos. ¿Qué había cambiado? ¿El ser humano había evolucionado en forma repentina convirtiéndose en una criatura más veloz que todos sus antepasados? No parece admisible. Lo que ocurrió es que se modificaron las expectativas. Se demostró que era posible lo que antes se había considerado imposible. La mayoría de las personas funciona sobre la base de aquello que cree que puede lograr. Si esa base cambia, los resultados también cambian.

Zig Ziglar tiene una historia famosa sobre el entrenamiento de las pulgas: si toma algunas pulgas y las encierra en un frasco tapado, durante unos 20 minutos saltarán desesperadamente contra la tapa intentando salir. Pasado este tiempo, los insectos se convencen de que no pueden escapar; entonces, puede quitar la tapa. A pesar de tener vía libre para escapar, las pequeñas pulgas morirán de hambre en el fondo del frasco. Trataron de escapar una vez y ahora *creen* que no hay otra opción. A menudo encuentro personas que viven su vida dentro de límites que sólo existen en su mente.

> *La mejor manera de predecir su futuro es crearlo usted mismo.*
> —STEPHEN COVEY

¿Es usted el tipo de persona que fija metas? ¿Tiene la costumbre de proponerse metas al comenzar el año? Si su respuesta es «no», ¿por qué no lo hace? Las metas le marcan un punto de partida y de llegada. Es la manera más sencilla de darle sentido a su vida, y esto lo impulsará a usar sus dones eficazmente.

Fije metas de aquí a cinco años, y luego retroceda en el tiempo para determinar qué debe hacer hoy con el fin de incrementar las reservas de éxito en las áreas correspondientes a las metas que se propuso. Exprese sus metas en términos concretos, y establezca parámetros que le permitan medir los avances. Es muy loable proponerse ser mejor madre, buscar un trabajo más gratificante o aprender un idioma, pero si no explicita los pasos a seguir para alcanzar objetivos específicos y mensurables, no avanzará en términos de acciones concretas. Y verá pasar otro año sin que se produzca un cambio real.

Si logra elaborar un plan de aquí a cinco años, seguramente se sorprenderá al ver cómo las puertas comienzan a abrirse. Las personas que no pueden imaginar el futuro dentro de cinco años acaban sintiéndose víctimas de las circunstancias, y viven con la sensación de que corren por la vida como alguien que se ve obligado a correr por las vías del ferrocarril sabiendo que la locomotora está justo detrás.

LAS SIETE ÁREAS DE REALIZACIÓN PERSONAL

1. *Finanzas*: ingresos e inversión (si no es capaz de soñarlo, no sucederá). «Deléitate en el Señor, y él te concederá los deseos de tu corazón» (Salmo 37:4).

¿Cuánto dinero aspira a ganar anualmente durante los próximos cinco años?

¿Cuánto dinero quisiera tener en el banco o en inversiones?

Si no es capaz de soñarlo, ¡no sucederá! Nada es irreal si cuenta con un plan definido.

No se deje paralizar por el fracaso. «Si en el día de la aflicción te desanimas, muy limitada es tu fortaleza» (Proverbios 24:10).

2. *Estado físico*: salud, aspecto personal y ejercicio físico.

¿Acostumbra salir a caminar, hacer ejercicio o meditar en forma regular?

¿Considera que su vida está bien equilibrada? ¿Debería dedicarle más tiempo a esta área?

¿Dispone al menos de 30 minutos para relajarse?

¿Sabía que el ejercicio físico tiene un efecto purificador que contribuye a aumentar su creatividad de manera significativa?

> *El que no es capaz de soportar lo malo, no vivirá para ver lo bueno.*
> —ANTIGUO PROVERBIO YÍDISH

Difícilmente se puede disfrutar de la fortuna adquirida si se ha descuidado la salud por el camino.

«Que Dios mismo, el Dios de paz, los santifique por completo, y conserve todo su ser —espíritu, alma y cuerpo— irreprochable para la venida de nuestro Señor Jesucristo» (1 Tesalonicenses 5:23).

Esa sensación de apresuramiento a la que nos vemos sujetos no suele ser la consecuencia de vivir una vida plena y no tener tiempo. Por el contrario, nace de un vago temor de que estamos malgastando nuestra vida. Cuando no hacemos exactamente aquello que debemos hacer, no nos queda tiempo para otra cosa: nos convertimos en las personas más ocupadas del mundo.
—ERIC HOFFER

3. *Desarrollo personal*: conocimientos, educación y superación personal.

El éxito que logre, en lo económico y en cualquier otro aspecto, nunca será superior al nivel de desarrollo personal alcanzado. Comience a hacer algo que haya postergado por temor al fracaso.

¿Le gustaría aprender otro idioma? Hágalo este año.

¿Cuántos libros leerá en el correr de este año? Se dice que quien lee tres libros sobre un tema determinado, pasa a ser un experto en el tema.

Dedíquele tiempo a su desarrollo personal, que es el equivalente de la inspiración durante el proceso de una saludable oxigenación personal —si se limita a exhalar, se pondrá de color azulado y sufrirá un desmayo. Según Peter Drucker: «El conocimiento es obsoleto por definición». Estar dispuesto a un aprendizaje continuo es lo único que le permitirá ocupar posiciones de liderazgo en el mundo de hoy. No dé por finalizada su educación al graduarse de la secundaria o de la Universidad. No es casual que en los Estados Unidos se use la palabra *commencement* (del latín, «comenzar, iniciar») para describir la ceremonia de graduación (y hablando de tiempo, puede inscribirse en la «universidad para automovilistas»: Si recorre 40.000 km [25.000 millas] por año en su automóvil a una velocidad promedio de 75 km/h [46 m/h], pasará dentro de su vehículo aproximadamente la misma cantidad de horas que un alumno universitario pasa en el aula. La pregunta es, ¿qué hace durante todas esas horas? Puede escuchar grabaciones y contribuir a aumentar sus reservas de éxito).

> *"Nunca se duerma en los laureles; cultive siempre su potencial."*
> —DENIS WAITLEY

¿Dónde busca inspiración, personas que lo apoyen y estimulen, y materiales que le aporten cosas positivas?

¿Qué talentos posee que no ha estado usando? ¿Por qué no liberar su potencial permitiendo que se desarrolle plenamente hasta alcanzar el éxito deseado?

«Adquiere sabiduría, adquiere inteligencia; no olvides mis palabras ni te apartes de ellas. No abandones nunca a la sabiduría, y ella te protegerá; ámala, y ella te cuidará. La sabiduría es lo primero. ¡Adquiere sabiduría! Por sobre todas las cosas, adquiere discernimiento» (Proverbios 4:5-7).

4. *La familia*: relación con los demás miembros, crianza de los hijos, ubicación de la residencia familiar.

Al dirigirse a los egresados de Wellesley College, Barbara Bush les dijo: «En cualquier tiempo, en cualquier época, hay algo que jamás cambiará: cuando los padres y las madres tienen hijos, ellos deben ocupar el primer lugar. Deben amarlos, abrazarlos y leer con ellos. Los logros de cada familia, nuestros logros como sociedad, no dependen de lo que ocurre en la Casa Blanca sino de lo que pasa en el interior de cada hogar».

La segunda ley de la termodinámica establece que las cosas dejadas a su propia suerte tienden a deteriorarse. Las relaciones valiosas no surgen de la nada; son el resultado de ir haciendo aportes que contribuyan al éxito que desea alcanzar.

¿Qué clase de vacaciones planificará este año? ¿Qué duración tendrán? ¿Cuál es su meta en relación con el tiempo libre que le dedica a la familia y a los amigos?

Puede tratar de dejar de mirar su programa de televisión favorito y dedicar ese tiempo a estar con su pareja, su hijo o hijos, o un amigo.

> *El mayor bien que podemos hacer por alguien no es compartir con él nuestras riquezas, sino hacerle ver las suyas.*
> —BENJAMIN DISRAELI

Si se propone ser mejor madre o padre, defina exactamente qué significa «mejor». Puede tomar la decisión de pasar 20 minutos todas las noches con su hija/o o toda la mañana del sábado una vez por mes haciendo lo que su hijo desee. ¿Qué le parece, por ejemplo, programar pasar una noche juntos con su esposo o esposa cada tres meses?

5. *Vida espiritual*: participación en la iglesia, compromiso personal y estudio de las Escrituras.

«Examíname, oh Dios, y sondea mi corazón; ponme a prueba y sondea mis pensamientos. Fíjate si voy por mal camino, y guíame por el camino eterno» (Salmo 139:23 y 24).

¿Podría afirmar que está cumpliendo el propósito que Dios tiene para su vida?

¿En qué cosas participa que lo proyectan más allá de usted mismo?

¿Debió enfrentar alguna crisis el pasado año? ¿Cómo la superó?

¿Se siente a gusto dando nuevos pasos en su vida de fe o prefiere quedarse con lo que ya conoce?

¿Confía en sus sueños por considerar que son inspirados?

¿Cómo cree que se lo recordará?

6. *Vida social*: aumentar el número de amigos, compromiso con la comunidad, etc.

Cambie viejas actitudes. Haga a un lado las cosas negativas del pasado. Pida perdón. Restaure la relación con las personas a quienes necesita perdonar o que deben perdonarlo a usted.

Piense en alguien a quien pueda cuidar o de quien pueda ser mentor o consejero, y luego propóngase construir esta relación a partir de hoy mismo.

¿Recuerda haberle prometido algo a alguien y no haberlo cumplido?

Pase algún tiempo en compañía de un anciano o anciana y pídale que le cuente sus recuerdos más queridos.

Lea estas seis recomendaciones para que los demás se sientan a gusto con usted:

1. Muestre auténtico interés por las demás personas.

2. Sonría.

3. Recuerde que para una persona su nombre es la combinación de sonidos más dulce y más importante.

4. Sepa escuchar. Anime a los demás a hablar sobre sí mismos.

5. Hable teniendo en cuenta los intereses de la otra persona.

6. Haga que la otra persona se sienta importante, y hágalo sin fingimiento.

(tomado de How to Win Friends and Influence People [Cómo hacer amigos y llegar a la gente],
de Dale Carnegie).

7. *La carrera*: aspiraciones, sueños y esperanzas.

«Además, a quien Dios le concede abundancia y riquezas, también le concede comer de ellas, y tomar su parte y disfrutar de sus afanes, pues esto es don de Dios» (Eclesiastés 5:19).

Su carrera debe ser *reflejo* de la vida que usted desea; es el resultado de saber qué desea en las seis áreas restantes. Una vez que ha decidido cuál será su proyecto de vida, verá con toda claridad qué clase de trabajo responde a ese proyecto. Queremos ayudarlo a planificar su trabajo en consonancia con su proyecto de vida.

Estas siete áreas están integradas e interconectadas; juntas pueden ascender o entrar en una espiral descendente. Eso explica por qué cuando alguien pierde el empleo, puedo sugerir como primera medida una caminata de 4 km (2,5 millas), a buen ritmo, todas las mañanas. Y también pasar más tiempo con su pareja, jugar con sus hijos y participar en programas de trabajo voluntario en la iglesia y en la comunidad. Un fortalecimiento inmediato de las reservas de éxito en estas áreas lo ayudará a acelerar los resultados positivos en el área afectada.

Cuando alguien pierde el empleo, el impacto negativo afecta en primer lugar al área *carrera*, y en segundo lugar, las *finanzas*. Los problemas en estas dos áreas muy posiblemente tensionen las relaciones en el ámbito *familiar*, provocando una importante caída de la autoestima y el desmoronamiento del *desarrollo personal*. Lógicamente, este hombre se siente avergonzado y no desea ver a sus amigos justo en ese momento (*vida social*). Con esta sobrecarga de estrés, el lunes por la mañana, en lugar de salir a buscar trabajo, el pobre hombre acaba sentado en el sofá comiendo papitas Pringles y mirando un *talk show* en televisión, lo cual tiene un efecto devastador en su *estado físico*. Por supuesto, en medio de todo esto, se pregunta: «¿Por qué Dios me castiga de esta manera?» (*vida espiritual*).

> *Es bueno soñar,
> pero es mejor soñar
> y trabajar.
> La fe es poderosa,
> pero la acción con la
> fe es más poderosa.
> El deseo es útil,
> pero el trabajo
> y el deseo son
> invencibles.*
> —THOMAS R. GAINES

Esta descripción no está alejada de la realidad. ¿De qué modo puede revertir o evitar la espiral descendente? Varios años atrás conocí a un hombre joven que había perdido 3,2 millones de dólares en 18 meses. Había heredado el dinero de su abuela; lamentablemente, hizo malas inversiones y perdió todo. En términos de su carrera y situación financiera, había tocado fondo. Le sugerí ir a la Asociación Cristiana de Jóvenes todas las mañanas; esto mantendría su mente ocupada, canalizaría su energía hacia algo positivo y lo alejaría de las papitas Pringles y de la televisión. Alcanzó un excelente estado físico y un desarrollo de sus músculos pectorales verdaderamente sorprendente. Estoy convencido de que la energía y la vitalidad que brotaban de su bienestar físico le permitieron una rápida recuperación de las áreas afectadas –cosa que efectivamente sucedió.

En 1988, yo mismo atravesé una grave crisis. Había comprado una segunda empresa con ayuda financiera y me encontraba en una situación de vulnerabilidad cuando hubo un cambio en la normativa bancaria. En términos financieros, lo perdí todo. Fíjese que no digo que nos vinimos abajo ni que agotamos todos nuestros recursos ni que fracasé en todo lo que había hecho, pero sí perdí todo nuestro dinero. Perdimos la casa que habíamos diseñado y construido, los automóviles y toda otra cosa de valor que el Servicio de Rentas Internas pudo rastrear. Sabía que me había convertido en terreno fértil para que echaran raíz y se desarrollaran toda clase de pensamientos negativos.

Un amigo me prestó un automóvil, una camioneta Mercury Zephyr. Las ventanillas no funcionaban, la radio estaba destruida y consumía casi un litro (un cuarto de galón) de aceite cada 160 km (100 millas). Pero llevaba un reproductor de casetes portátil y comencé a escuchar grabaciones. Escuchaba todo lo que llegaba a mis manos que fuera positivo, que despertara pensamientos puros y resultara inspirador. Pasaba buena parte del día en el automóvil y dedicaba al menos dos horas diarias a escuchar este tipo de materiales. Llenaba todas mis horas de vigilia con cosas positivas y dejaba muy poco lugar para lo negativo. Comencé a tener éxito en nuevas áreas. Conseguí un trabajo en ventas a comisión que, si bien me sometía a la presión de recibir muchas negativas diarias, me brindaba el plan de ingresos más rápido que pude encontrar.

Esas dos horas diarias tuvieron un impacto tan profundo en mi manera de pensar y en mis logros que jamás abandoné la costumbre. Descubrí el valor de la primera hora del día, lo que Henry Ward Beecher llamó «el timón del día; la hora dorada».

Preste especial atención a cómo comienza el día, pues es lo que prepara el terreno para lo que vivirá el resto de la jornada. Si se levanta tarde, bebe un café a la carrera mientras enciende un cigarrillo, se enfurece con todos los inútiles que congestionan el tránsito y le impiden avanzar deprisa y, por fin, a las ocho y diez se deja caer en el sillón frente a su escritorio, habrá marcado con ese sello el resto de su día. Todo le sabrá a presión y sus mejores esfuerzos quedarán diluidos.

Por el contrario, si se levanta relajado después de una noche de completo descanso, comenzará la jornada de manera diferente. Dejé de usar el despertador hace 25 años porque me acuesto a una hora razonable y sabiendo exactamente a qué hora deseo comenzar al día siguiente. Me levanto, dedico 30 minutos a la meditación y al devocional diario, y luego voy al lugar destinado a hacer ejercicio físico. Mientras hago ejercicios, aprovecho mi extensa biblioteca en audio y durante 45 minutos combino el esfuerzo físico con grabaciones de mensajes que nutren mi mente y amplían mi visión. La motivación de Earl Nightingale, Zig Ziglar, Brian Tracy, Kenneth Blanchard, Jay Abraham y Denis Wailey; la filosofía de Aristóteles y Platón; la teología de Robert Schuller, Dietrich Bonhoeffer y John Maxwell son el primer alimento que recibe mi cerebro cada mañana. Nunca leo el periódico temprano, aunque reconozco la importancia de estar informado. Las noticias están plagadas de violaciones, asesinatos, dolor y cosas dañinas, y no quiero que eso sea lo primero que llegue a mi mente cada mañana. Más tarde, durante el día, recorro las noticias en busca de material relacionado con mis áreas de interés y escojo lo que necesito. Pero me aseguro de proteger al máximo esa primera hora del día, con el fin de que todo lo que leo o escucho sea positivo, creativo e inspirador. La mayoría de mis ideas más creativas han surgido durante este tiempo especial, a menudo cuando estoy cubierto de sudor. A las nueve de la mañana me siento vital, motivado y listo para enfrentar lo que el día me depare.

«Por la mañana hazme saber de tu gran amor,
porque en ti he puesto mi confianza.
Señálame el camino que debo seguir,
porque a ti elevo mi alma»
(Salmo 143:8)

. . . .

«NUESTRAS CARRERAS NOS OBLIGAN A VIVIR SEPARADOS»

Casi nunca compro las revistas sensacionalistas que ofrece el exhibidor junto a la caja del supermercado, pero alguna vez he hecho una excepción. El titular de tapa de *US Weekly* decía «Tom y Nicole se separan: "Nuestras carreras nos obligan a vivir separados"» ¡Por favor! ¿Será que no pueden dejar de trabajar porque deben pagar la cuota de la hipoteca? De ninguna manera; es simplemente un ejemplo extremo de prioridades equivocadas. Cito el artículo: «Aduciendo dificultades inherentes a un desarrollo divergente de sus respectivas carreras, decidieron que una separación de mutuo acuerdo era lo mejor para ambos en este momento». ¿Con eso basta? Uno se pregunta cómo se lo explicarán a sus hijos de seis y ocho años... «Niños, mamá y papá creen que tener una carrera es más importante que vivir en familia».

Frente a la multiplicidad de opciones que ofrece el mundo actual, es fundamental que defina claramente sus prioridades. Si se limita a reaccionar frente a las circunstancias, cada obstáculo que encuentre lo hará cambiar de dirección. No debemos dejar que las circunstancias determinen nuestras opciones. Por el contrario, son nuestras prioridades las que nos guiarán a través de los cambios que inevitablemente deberemos afrontar. Una carrera es una herramienta para construir una vida exitosa, pero no es más que uno de los elementos que componen nuestra vida.

Volvamos por un momento al comienzo de este capítulo. ¿Recuerda al pastor Jones y su santa ignorancia? Pues ha comenzado a rediseñar su vida. No es posible recuperar por completo los años vividos sin metas claras, pero puede reencauzar su vida y saber aprovechar todo el valor de los años que aún tiene por delante. En el caso del señor Jones, está trabajando en una empresa de ingeniería en la que tiene muchas oportunidades de compartir su fe y sus valores con otras personas. Sus ingresos mejoraron considerablemente, lo cual alivió la tensión y el resentimiento de su esposa e hijos. Cumple con un programa muy estricto para bajar de peso y está experimentando la satisfacción de los primeros pequeños logros. Una nueva visión y acción inspiradas por Dios reemplazan a la *santa ignorancia* en la que vivió durante años.

CUENTA REGRESIVA HASTA LLEGAR AL TRABAJO QUE LE GUSTA

1. ¿Es usted el tipo de persona que fija metas? ¿Tiene la costumbre de proponerse metas al comenzar el año? Si la respuesta es «no», ¿por qué no lo hace?
2. ¿Cómo describiría su actual enfoque del trabajo?
3. ¿Tiene algún pasatiempo? ¿Qué otros intereses o habilidades tiene?
4. ¿Cuál es su participación en la comunidad?
5. ¿Qué actitud tenían su madre o su padre frente al trabajo, y en qué medida esa actitud influyó en usted?

¿Águila o lechuza?

Oración por la alegría

Ayúdame, oh Dios,
a saber escuchar qué es lo que le da alegría a mi corazón
y seguirlo adonde me lleve.
Haz que sea el gozo, no la culpa,
tu voz, no otras voces,
tu voluntad, no la mía,
lo que me guíe a descubrir mi vocación.
Ayúdame a desenterrar las pasiones de mi corazón
que han estado sepultadas desde mi juventud.
Ayúdame a remover esa tierra una y otra vez
hasta que logre sostener entre mis manos,
sostener y atesorar,
el llamado que tienes para mi vida.
                    —KEN GIRE, *WINDOWS OF THE SOUL* [VENTANAS DEL ALMA]

Ralph Waldo Emerson habló del concepto de «descontento divino» para referirse al estado de saber que no estamos caminando según el plan perfecto que Dios tiene para nuestra vida. Decía también que «la masa vive una vida de callada desesperación». El popular grupo musical Sixpence None the Richer incluyó un tema titulado *Descontento divino* en su último CD. La expresión engloba nuestra justificada insatisfacción con aquellas cosas de nuestra vida que son disonantes o nos producen permanente inquietud.

Una combinación inadecuada de nuestra singularidad como personas y nuestro trabajo cotidiano contribuye significativamente a crear ese estado de «descontento divino» que describió Emerson. Prestar atención a su singularidad es el punto de partida para encaminar su carrera en la dirección correcta. El reconocimiento de nuestros dones y talentos personales y el poder desarrollarlos a través de nuestro trabajo son componentes fundamentales de nuestro bienestar espiritual.

Por lo tanto, si esperamos que el gobierno o las empresas nos provean de oportunidades de trabajo, estamos invirtiendo el proceso de encontrar nuestra vocación. La verdadera vocación nos hace crecer como personas a la vez que satisfacemos nuestras necesidades y atendemos las necesidades de quienes nos rodean. Esperar que alguien nos *dé* un trabajo puede provocar un cortocircuito en el proceso de descubrir nuestro llamado.

Usted puede estructurar su trabajo en torno de metas y relaciones significativas y de su personalidad, sueños y pasiones únicos. Mire en su interior para determinar qué trabajo es más apropiado para usted, y luego aparecerá la manera de concretarlo.

Confíe en que los cambios y la volatilidad en el ámbito laboral pueden darle más y mejores oportunidades de encontrar un trabajo con sentido. Con frecuencia encontramos la dirección correcta precisamente en medio de los cambios y nuevos desafíos.

Emerson agrega: «Una consistencia idiota es el duende de las mentes pequeñas, adorado por los pequeños estadistas, filósofos y clérigos. Un alma grande no tiene nada que ver con la consistencia».

▶ EL HUMUS EN MI VIDA

Todo aquel que cultiva una huerta sabe apreciar el valor del humus –la materia orgánica en descomposición que nutre las raíces de las plantas. Es interesante recordar que la palabra «humildad» tiene la misma raíz que «humus» (tierra), dando a entender que las experiencias de humillación que nos toca vivir, esas situaciones que nos dejan con «la cara embarrada», pueden actuar como fertilizantes que contribuyan a que crezca algo nuevo y más vigoroso.

Hace quince años sufrí la quiebra y el derrumbe de mi compañía. El banco dejó de tratarme como a un cliente amigo y exigió el pago de mis obligaciones. Me vi obligado a vender en una subasta un gimnasio y, como consecuencia de ello, mi deuda personal ascendió a 100.000 dólares. Esa experiencia de humillación agudizó mi comprensión y visión de los emprendimientos comerciales. En la actualidad, no tengo deudas con el banco, tengo mi propio emprendimiento no tradicional, encuentro pleno sentido y propósito en mi trabajo, y mis ingresos son superiores a los que generaba en aquel tiempo.

Recuerde que en medio del desorden y la confusión suelen darse las condiciones para que nazcan cosas nuevas.

La única manera realista de saber en qué dirección marchar en el mundo exterior es mirar primeramente en nuestro interior. Siempre le explico a la gente que mirar al interior de nosotros mismos garantiza en un 85% que podamos escoger la dirección correcta. El 15% restante es la parte práctica: currículum vítae, entrevistas, etc. La sociedad nos enseña a poner el carro delante del caballo: conseguir un empleo y luego poner en marcha nuestra vida. ¡Grave error! Para alcanzar el éxito verdadero, primero debe comprenderse a sí mismo y planificar su vida, y recién entonces planificar su trabajo de modo que se corresponda con la vida a la que usted aspira. Los principios expuestos en *48 días para amar su trabajo* no se limitan a un proceso de análisis racional o a una serie de pruebas para identificar sus habilidades, sino que se proponen guiarlo en el proceso de aprender a prestar atención a lo que Dios ya le ha revelado: personas, acontecimientos y actividades que despiertan fuerte interés en usted. Este proceso es más intuitivo que lógico; nuestro corazón y nuestra mente deben trabajar unidos en la búsqueda de la auténtica dirección de nuestra vida. Los test vocacionales siempre han sido artificiales e inadecuados debido a que se centran fundamentalmente en las habilidades. Los tiempos de cambio son una excelente oportunidad para prestarle atención a su corazón y descubrir temas recurrentes en las cosas que lo atraen y disfruta.

> *Aquel que conoce a los demás, es entendido; el que se conoce a sí mismo, es sabio.*
> —LAO-TSE

TRES ÁREAS CLAVE A TENER EN CUENTA

El tiempo invertido en mirar en su interior lo recuperará en un ciento por ciento en términos de lograr identificar la dirección correcta en la que debe avanzar. En la medida en que se conozca mejor a sí mismo, aumentará su confianza para poder escoger el lugar de trabajo adecuado.

Sea cual fuere su trabajo, debe contemplar las tres áreas que analizaremos a continuación.

CAPACIDAD Y HABILIDADES

No hay duda de que debe tener la habilidad necesaria para realizar su trabajo, pero recuerde que la habilidad o capacidad no siempre le aseguran que encontrará sentido y propósito en lo que hace. Puede ser un dentista excelente y a pesar de ello, no sentirse realizado a través de la práctica de la odontología. Muchas personas han demostrado tener un muy buen desempeño en una determinada tarea y, a pesar de ello, se sienten desdichadas por tener que hacer ese trabajo día tras día. Tenga presente que la mayoría de los test vocacionales se concentran en su *capacidad* de realizar determinadas tareas. Al llegar a los 25 ó 30 años, probablemente esté capacitado para realizar entre 150 y 200 diferentes tareas. Tener la capacidad de hacer algo no es razón suficiente para decidir dedicarle todo su tiempo y energía; la decisión debe tener en cuenta muchas más cosas.

A modo de ejemplo de áreas para las que puede tener habilidades, mencionaremos: mercadotecnia, presupuesto, programación informática, atención al cliente, contabilidad, supervisión, consejería, capacitación, redacción, organización, diseño, etc.

INCLINACIONES PERSONALES

¿Cómo se relaciona con otras personas? ¿En qué ambientes se siente más a gusto? ¿Le gusta estar en contacto con otras personas o se siente más cómodo manejando proyectos y tareas específicas? ¿Es extrovertido y visionario, o tiene un pensamiento lógico, analítico y detallista? ¿Prefiere un ambiente estable o busca cambios, desafíos y variedad? Clarificar estos puntos lo ayudará a identificar el lugar de trabajo más apropiado.

Lamentablemente, el éxito que logre en un determinado puesto puede significar un ascenso a otro cargo que no es el adecuado para usted. Hay un libro memorable de Laurence J. Peter, *The Peter Principle* [El principio de Peter], que explica el mecanismo por el cual, en nuestra sociedad, a las personas se las promueve desde un puesto en el que su desempeño es muy bueno hasta llegar a un nivel en el que son incompetentes. Pueden promover a una cajera de un banco muy apreciada por los clientes, a gerente de una sucursal, y allí sólo manejará informes financieros. Se ascenderá a supervisor de turno a un obrero eficiente en la cadena de montaje, convirtiéndolo en alguien que debe dar órdenes y controlar a sus antiguos amigos y compañeros. Un muy buen vendedor alcanzará un ascenso a gerente de Ventas, y en su nuevo puesto deberá supervisar la distribución de trabajo entre el personal.

Si conoce los rasgos distintivos de su personalidad, podrá permanecer fiel a las áreas de trabajo que verdaderamente responden a sus necesidades y que disfruta.

Los rasgos de personalidad comunes pueden agruparse en cuatro categorías:

1. *Dominante (conductor) – León – Águila*: toma el mando o conducción, le gusta tener poder y autoridad, seguro, directo, audaz, decidido, competitivo.
2. *Influyente (expresivo) – Nutria – Pavo real*: conversador, extrovertido, amante de la diversión, impulsivo, creativo, vital, optimista, le gusta la variedad, promotor.
3. *Constante (amable) – Cobrador dorado – Paloma*: fiel, capacidad de escuchar, tranquilo, le gusta la rutina, solidario, paciente, comprensivo, confiable, evita los conflictos.
4. *Obediente (analítico) –Castor – Lechuza*: se interesa mucho por los detalles, muy lógico, diplomático, objetivo, prudente, controlado, inquisitivo, confiable, resistente a los cambios.

VALORES, SUEÑOS Y PASIONES

¿Qué clase de actividades disfruta? Si pudiera prescindir del dinero, ¿cómo pasaría su tiempo? ¿Cuándo tiene la impresión de que el tiempo vuela? ¿Qué temas vuelven a su mente una y otra vez? ¿Qué le gustaba hacer cuando niño, pero le advirtieron que no era realista ni práctico dedicarse a eso como medio de vida?

Quizás ésta sea el área más difícil para la mayoría de las personas. Un mito que se cuela sutilmente es aquel que dice que seguir nuestros sueños es una actitud egoísta y egocéntrica que no cuenta con la aprobación de Dios. Sin embargo, el Señor nos creó

> *Para vivir la vida con creatividad, debemos perder el temor a equivocarnos.*
> —JOSEPH CHILTON PEARCE

a su imagen y semejanza y, por lo tanto, somos nosotros también creadores. ¿Por qué habría Dios de dotarnos de imaginación y capacidad de soñar para después ahogar esos sueños por razones de practicidad? Confíe en que sus sueños son de procedencia divina. Y conforme avanza hacia la realización de sus valores, sueños y pasiones, también avanzará en su vida espiritual y hacia el cumplimiento más pleno del propósito para el cual Dios lo creó.

▶ LOS QUE SUEÑAN DE DÍA

En su libro *Seven Pillars of Wisdom* [Los siete pilares de la sabiduría], Thomas Edward Lawrence escribió: «Soñadores hay muchos, pero no todos los seres humanos sueñan de la misma manera. Algunos son soñadores nocturnos, que fabrican sus sueños en rincones borrosos de la mente y al despertar por la mañana descubren que no eran más que vanidad. Pero los soñadores del día son personas peligrosas porque cumplen sus sueños en medio de la realidad con los ojos bien abiertos».

En nuestro mundo tecnológico y sofisticado, a menudo desechamos nuestros sueños como una consecuencia de haber comido demasiado o de tener la cabeza llena de problemas a la hora en que nos fuimos a dormir. No subestime el valor de los sueños nocturnos para solucionar problemas o aportar un enfoque creativo de la situación. Y pase lo que pasare, continúe soñando de día. Recurra a esas ideas y pensamientos que han rondado su mente durante años.

Si no es capaz de soñarlo, no sucederá. El éxito no llega hasta nosotros sigilosamente; comienza como un sueño al que luego le acoplamos un plan de acción concreto. Conviértase en un soñador de día y verá que sus niveles de éxito ascienden hasta lo más alto.

Conozco a muchas personas que han malgastado su energía creadora por haberse dedicado a cumplir las esperanzas, sueños, planes y expectativas de otros. Es posible que padres, amigos, maestros y pastores bienintencionados hayan ejercido un poder sutil que le impidió ver el camino que usted deseaba seguir y lo condujo en la dirección equivocada. Con frecuencia me encuentro con profesionales de 40 y 50 años que descubren que la vida que están viviendo no es «su» vida. Es natural que busquemos aliento y apoyo, y lo buscamos en principio en el núcleo familiar y luego en un círculo cada vez más amplio de amigos y otras personas influyentes. Por desgracia, el estímulo que recibimos rara vez contempla opciones individualizadas; más bien se inclina por opciones como médico, odontólogo, docente, abogado, fontanero, ingeniero, etc. La recomendación habitual ante cualquier propuesta diferente, singular o creativa es actuar con prudencia. De este modo, al sumar los temores de amigos y familiares a los suyos propios, una persona elige el camino más seguro. Y en ese momento, en la encrucijada entre un sueño maravilloso y el miedo al fracaso, la persona escoge una carrera que la lleva a la monotonía y el aburrimiento.

La frase «Aún estoy tratando de saber qué voy a hacer cuando sea grande» es la expresión de desafío que escucho con más frecuencia. Muchas veces es una bochornosa autorrevelación en boca de personas de 45 años, pero es un punto de partida realista y saludable. A los 18 años es difícil ver con claridad todas las opciones y tener el suficiente conocimiento de uno mismo para poder plantear las preguntas

> *Si has de mantener viva tu alma, debes conocer tus preferencias en lugar de decir humildemente «amén» a lo que el mundo te dice que debes escoger.*
> —ROBERT LOUIS STEVENSON

correctas, y mucho más difícil aún tomar las decisiones correctas. La posibilidad de ir encontrando la dirección correcta es un proceso permanente, y sin duda puede atemorizarnos y entusiasmarnos al mismo tiempo. Valore la experiencia de vida atesorada hasta el presente. Aunque no haya sido del todo satisfactoria y la dirección no haya sido la correcta, le proporcionará la claridad necesaria para tomar buenas decisiones a partir de este momento.

▶ SU AUTOESTIMA ESTÁ DECAYENDO

Si hay algo que sistemáticamente acaba con la posibilidad de obtener un empleo o comenzar un negocio, es la baja autoestima de la persona interesada en el empleo o el negocio.

Veamos algunas señales de pérdida de la autoestima:

- Mal manejo del tiempo: falta a sus citas o llega tarde.
- Deja de hacer ejercicio: uno cuida las cosas que valora, de modo que esta actitud equivale a decir: «No me importa mi persona».
- Deja de participar en actividades grupales: dice que esta semana no tiene tiempo para reuniones en la escuela, actividades en la iglesia, grupo de estudio, etc.
- No se despega del sofá: combina lo no urgente con lo no importante mediante sobredosis de televisión y otras actividades improductivas y sin propósito.

- Deterioro de las relaciones personales: no cultiva las relaciones de amistad ni otras relaciones personales.

La baja autoestima suele ser una de las primeras consecuencias de la pérdida de empleo. Habitualmente el ciclo se compone de enojo, resentimiento, incapacidad de perdonar, culpa y depresión. Deprimir significa «hundir alguna parte de un cuerpo; humillar, rebajar; producir decaimiento del ánimo»; por consiguiente, la depresión conduce a una mayor inactividad. Cualquier cosa que lo proyecte fuera de sí mismo sirve para comenzar a romper el círculo. Busque la manera de ser útil y revertirá el proceso arriba mencionado.

¿DEBEMOS TODOS ENCAJAR EN EL MISMO MOLDE?

En mi trabajo como consejero vocacional he visto con frecuencia personas que, por ejemplo, intentan trabajar en ventas teniendo habilidades contables, o alguien que trata de destacarse en la carrera docente cuando tiene dones para la música. ¿Por qué será que tratamos de convertirnos en algo diferente de lo que Dios tiene pensado para nosotros? En parte, la presión se debe a que le asignamos más valor a ciertos trabajos o capacidades que a otros. Si tuviera que elegir entre ser un médico mediocre o un carpintero excelente, ¿qué escogería? ¿O entre un docente mediocre y un magnífico paisajista? Pienso que debemos identificar cuidadosamente los dones especiales que Dios nos dio a cada uno de nosotros y luego llegar al nivel de excelencia en el uso de esos dones.

Permítame narrarle un cuento que ilustra la manera en que muchas personas se sienten presionadas a llevar a cabo tareas para las que no están preparadas. Todo comienza en la escuela:

Había una vez, un reino animal que había alcanzado un alto grado de desarrollo. Un día, todos los animales adultos se entusiasmaron al escuchar la noticia de que se creaba una nueva escuela para sus hijos. La escuela se organizó según modernos criterios de administración escolar, y se elaboró un currículum que incluía destrezas como trepar y escalar, carreras de velocidad, natación y vuelo.

Los padres llegaron en tropel a la escuela, ansiosos por inscribir a sus hijos en una escuela progresista. A fin de cuentas, todos querían lo mejor para sus hijos. El señor y la señora Pato inscribieron a su pequeño hijo Pedro Pato con grandes expectativas porque sabían que era un gran nadador. De hecho, nadaba mejor que el instructor. Sin embargo, apenas pasada la primera semana, los directivos se dieron cuenta de que Pedro tenía dificultades para correr, saltar y trepar. Decidieron que debía quedarse fuera del horario escolar para incrementar la práctica de esas destrezas. Finalmente, las patas palmeadas de Pedro se estropearon tanto trepando árboles que sólo llegó a ser un nadador promedio. Un alumno promedio era aceptable en la escuela, de modo que nadie se preocupó. Nadie excepto Pedro Pato, claro, a quien le encantaba nadar.

Camilo Conejo era el primero de la clase en carreras de velocidad, pero sufrió una crisis nerviosa debido a las horas de entrenamiento extra que le exigían en natación. Y Anita Ardilla era una excelente trepadora hasta que comenzó a sufrir calambres por exceso de actividad física y obtuvo un «aprobado» en trepar y escalar, y un «desaprobado» en carreras de velocidad.

Andy Águila era un alumno problemático y lo reprendían con frecuencia. Durante las prácticas de trepar y escalar, llegaba primero a la copa de los árboles pero no seguía los procedimientos establecidos y se empecinaba en alcanzar la copa de los árboles aplicando su propio método. No era bueno jugando en equipo y prefería andar solo. Sus maestros no podían entender su deseo de ver cosas nuevas y lo regañaban por distraerse y dejar que su mente volara en clase. Por último, le recetaron Ritalina para ayudarlo a mejorar su concentración y rendimiento escolar.

Al finalizar el año, Pablo Pezdorado se destacaba en natación; también podía correr y trepar, y volaba un poquito. Pablo obtuvo el máximo puntaje general y lo eligieron para dar el discurso de despedida de su promoción.

Los perros del vecindario no concurrieron a la escuela y rehusaban pagar los impuestos porque la administración no aceptaba incluir en el currículum técnicas para excavar y recoger objetos. Además, habían percibido la sobrecarga emocional que sobrellevaban los alumnos y estaban evaluando la posibilidad de abrir su propia escuela.

Es triste ver con qué frecuencia truncamos nuestros mejores dones en nuestra lucha denodada por desarrollarnos en el área de competencia de otra persona. Es mucho mejor concentrarse en sus capacidades particulares y desarrollarlas plenamente que acabar siendo mediocre en varias áreas. Siga esta regla de oro para elaborar su estrategia de trabajo:

- Trabaje el 80% del tiempo en algo en lo que se sienta fuerte y confiado.
- Trabaje el 15% del tiempo en algo que le permita seguir aprendiendo.
- Trabaje sólo el 5% del tiempo en algo en lo que se sienta inseguro.

El camino hacia la plena realización suele estar justo delante de nuestras narices. Por lo general, hay temas recurrentes en nuestra vida; momentos en que sentimos que estamos conectados o en el lugar preciso. En *Carros de fuego*, una magnífica película que vi hace muchos años, Eric Liddel escucha a su hermana, que le pide que se olvide de correr y vuelva a ser misionero, para seguir así la valiosa tradición familiar. Aún hoy se me eriza la piel cada vez que escucho la respuesta de Eric: «Dios me hizo veloz, y cuando corro siento que a Él le complace verme». No pase por alto las cosas que verdaderamente lo apasionan aun cuando le parezca que su aplicación en la vida real no generará ingresos. El tiempo que invierta mirando en su interior le aportará grandes beneficios en términos de poder elegir y preparar una salida laboral que tome en cuenta sus fortalezas.

> *En chino, la palabra «crisis» se compone de dos caracteres: el primero es «peligro»; el segundo, «oportunidad».*
> —JOHN FITZGERALD KENNEDY

La integración es crucial, ya que le permitirá reconocer patrones constantes y bien definidos e identificar áreas en las que pueda plasmar sus intereses en una carrera concreta. Busque la manera de llevar a la práctica su singularidad. Si digo «maestro de escuela», la primera imagen que me viene a la mente es un aula con 32 alumnos en una escuela pública del centro de la ciudad. Sin embargo, usted puede ser docente y trabajar para IBM y vivir en Londres, Inglaterra. Lo que necesita es buscar una aplicación concreta que respete su singularidad y que integre sus (1) capacidades y habilidades, (2) inclinaciones personales y (3) valores, sueños y pasiones. Se trata de un proceso muy personalizado; no hay un plan modelo que se pueda aplicar en todos los casos, aunque exista similitud en lo social y familiar, en la edad y educación.

▶ EL RIESGO: ¿PELIGRO U OPORTUNIDAD?

Muchas veces he escuchado a alguien decir que no le gustaría probar un nuevo trabajo, un nuevo deporte, un automóvil o un nuevo recorrido para llegar a la oficina a causa del riesgo que ello implica. Sin duda, este tipo de comentario se acentúa cuando alguien está pensando en cambiar de carrera o de empleo. ¿Por qué dejar lo conocido por lo desconocido? Y sin embargo, allí precisamente puede estar la clave. Si va a Las Vegas y juega la hipoteca de su casa en una partida de dados, eso es arriesgar todo al azar: correr un riesgo sin tener un plan o un control razonable de la situación. Por el contrario, si trabaja en un ambiente desfavorable y, después de analizar sus opciones, decide irse a una organización sólida que le ofrece mejor ingreso, ¿cómo podría llamar a eso «riesgo»? Riesgo es saltar desde un acantilado sin saber lo que hay abajo. En los cambios laborales o de carrera podemos reducir considerablemente los riesgos elaborando un plan de acción detallado. Le propongo llamarlo «aprovechar una oportunidad» en lugar de «correr un riesgo». A veces, el mayor riesgo es no arriesgarse.

¿QUÉ SENTIDO TIENE MI TRABAJO?

A menudo alguien me pregunta si creo que su trabajo está de alguna manera relacionado con una vida plena de sentido o si realmente debe esperar encontrar satisfacción en su trabajo.

El interrogante implícito es: «¿No será egoísta querer disfrutar de mi trabajo? ¿Acaso no es el trabajo parte de nuestra obligación en la vida y no algo para disfrutar?» A muchos de nosotros nos criaron en la ética del trabajo característica de la sociedad estadounidense, es decir se esperaba que trabajáramos en granjas o fábricas o en cualquier otro lugar que exigiera dedicación al trabajo sin cuestionar si lo disfrutábamos o no. Era nuestro deber. Pero vea lo que ha ocurrido como consecuencia de adoptar ese esquema de pensamiento: hemos dejado de sentir orgullo por lo que hacemos y sólo deseamos llegar al fin de semana.

Esta actitud hacia el trabajo ha socavado a la sociedad estadounidense; hacemos nuestro trabajo porque debemos hacerlo, y esto explica por qué nos

Serás recordado por aquellos que te amaron y a quienes ayudaste. Procura, pues, grabar tu nombre en corazones, no en mármol.
—CHARLES HADDON SPURGEON

conformamos con un trabajo mal hecho, tratamos a los clientes como una imposición y buscamos excusas para quedarnos en casa. Como consecuencia de esta situación, incluso los cristianos vivimos en un permanente dualismo: somos cristianos los domingos, preocupados por ser íntegros, firmes, bondadosos y hacer el bien, pero el resto de la semana... bueno, sólo trabajamos. Esta compartimentación no tiene correlato bíblico que la sustente.

La Biblia no hace distinción entre las diferentes áreas de nuestra vida: todo es espiritual. «Bendeciré al Señor en todo tiempo» (Salmo 34:1).

La Biblia otorga dignidad a cualquier trabajo que hagamos; cualquier habilidad que Dios nos ha dado puede ser usada en el ministerio. Jesús era albañil y carpintero, Pablo trabajaba con cueros y los discípulos eran pescadores.

Nunca separe el trabajo de la adoración a Dios; considere su trabajo semanal como una forma de ministerio. Si no puede ver su trabajo de esta forma, entonces decididamente debe buscar otro. Utilice los dones que Dios le dio como una forma de ejercer su ministerio tan válida como si estuviera trabajando como misionero en África.

Recuerde que si no trabaja a tiempo completo haciendo lo que Dios lo llamó a hacer, ¿para quién está trabajando?

«MI JEFE ES UN ENVIADO DE SATANÁS»

Ya es una práctica habitual recoger frases ocurrentes de las historias de vida que me cuentan las personas a quienes acompaño durante su proceso de transición hacia un cambio. La que ahora cito la dijo una joven antes de comenzar las sesiones de consejería: «La compañía donde trabajo se interesa exclusivamente por el dinero, y el gerente bien podría ser un enviado de Satanás». Luego aportó numerosos ejemplos que me convencieron de que sus sospechas estaban bien fundadas.

Para su información, incluyo algunas pautas que lo ayudarán a discernir si su jefe es un enviado de Satanás. Vea si algunas de estas condiciones se cumplen en su lugar de trabajo:

- Falta de moral
- Odios y peleas
- Celos y enojos
- Permanente esfuerzo por obtener lo mejor para sí mismo
- Quejas y críticas respecto de todos, excepto de aquellos que integran el pequeño grupo alrededor del jefe
- Envidia, alcoholismo, fiestas de alcohol y desenfreno

Esta lista es una combinación de los relatos de la joven y otra fuente a la que recurro habitualmente. Si la enumeración le resulta familiar, puede consultar la lista usted mismo en Gálatas 5:19-21.

Por fortuna, también tenemos una lista de lo que podemos esperar de un jefe consagrado:

- Amor
- Benignidad
- Dominio propio
- Paciencia
- Mansedumbre

- Paz
- Fidelidad
- Gozo
- Bondad

No es muy difícil decidir qué filiación tiene su jefe, ¿verdad?

¿Qué talentos especiales tiene? En más de una ocasión, al trabajar con personas que buscan definir en qué dirección encaminar su carrera, he escuchado la frase: «Puedo hacer cualquier cosa que me proponga». Básicamente, su mensaje es: «Deme un empleo». ¿Tiene idea del poco interés que esa actitud despierta en un potencial empleador?

El empleador no está interesado en generalidades; quiere personas que sepan qué aporte único pueden hacer y que estén buscando oportunidades de desarrollar ese talento o habilidad único que poseen. Zig Ziglar describe personas a las que llama una «generalidad errante», es decir que no han logrado identificar sus talentos particulares.

Usted puede aprender las destrezas requeridas para cumplir una determinada función pero, ¿cree que eso basta para que su trabajo tenga sentido y le brinde satisfacción? La respuesta es no. Puede aprender dactilografía, tejido, tiro con arco o neurocirugía, pero eso no significa que esa actividad lo hará feliz. ¿Qué habilidad particular le dio Dios? ¿Qué deseos puso en su corazón? ¿Qué tipo de relación prefiere tener con las personas? ¿Le gusta estar en contacto permanente con otras personas, o prefiere concentrarse en una tarea determinada? ¿Le gusta crear, innovar y explorar nuevas posibilidades, o prefiere formar parte de un equipo ya establecido?

Todas éstas son preguntas legítimas, y de la combinación de todas ellas surgirá la clase de trabajo en el que usted se sentirá realizado. Tenga la plena seguridad de que en el largo plazo nadie se siente plenamente satisfecho trabajando sólo por el salario, por más abultado que sea. Además de la retribución económica, todos necesitamos encontrar un sentido y sentirnos realizados a través de lo que hacemos. Y lo que hacemos como parte de nuestra vocación es importante; la manera en que invertimos entre 40 y 50 horas semanales no es un asunto menor. Nuestro trabajo debe ser parte del cumplimiento de nuestro único ministerio, de otro modo estaremos malgastando mucho tiempo y energía.

El desafío reside en lograr un objetivo claro. Si sólo busca empleo, eso es lo que obtendrá: un empleo. Analizo cientos de currículum para empresas, y tan pronto percibo que la persona está dispuesta a hacer cualquier tipo de trabajo, coloco su currículum en el último lugar. Mientras que a la persona que tenga pleno conocimiento de que Dios le confirió dones, capacidades, deseos, valores y pasiones únicos, se la convocará a la entrevista.

No se confunda, aun cuando se trate de hacer algo que le parezca más consagrado, como ir a trabajar a otro país o comprometerse con un ministerio juvenil o un hogar para madres solteras. Si Dios no le ha dado dones para esas tareas, no será feliz ni hará felices a los que están a su alrededor.

Recuerde el texto en 1 Pedro 4:10: «Cada uno ponga al servicio de los demás el don que haya recibido, administrando fielmente la gracia de Dios en sus diversas formas». Dé gracias por su singularidad como persona, y salga al mundo y úsela para la gloria de Dios.

CUENTA REGRESIVA HASTA LLEGAR AL TRABAJO QUE LE GUSTA

1. ¿En qué ambientes se siente más a gusto?
2. ¿Cómo se relaciona con las personas que ocupan cargos de mando?
3. ¿Cómo sería su desempeño en cargos de mando?
4. ¿Cree que es más apto para trabajar con personas, con objetos o con ideas?
5. ¿Diría que usted es más bien analítico, lógico y detallista o es alguien que tiene una visión global, de conjunto, y que reacciona emocionalmente y con entusiasmo?
6. ¿Es constante y previsible o necesita variedad y nuevos desafíos?
7. ¿Es comunicativo y persuasivo o tiene el don de saber escuchar y ponerse en el lugar del otro?
8. ¿Qué puntos fuertes percibieron en usted otras personas?
9. Piense en cinco palabras o frases que lo describan.
10. Cuando se escriba su epitafio, ¿qué le gustaría que la gente recordara de usted?

Seis ofrecimientos de trabajo en diez días

Hay dos clases de éxito: una es la rara clase de éxito que acompaña al hombre que tiene poder para hacer lo que ninguna otra persona tiene poder para hacer; eso es genialidad. Pero el hombre promedio que llega a tener eso que llamamos éxito, no es un genio. Es un hombre que posee las cualidades comunes a todos los demás hombres, pero que ha desarrollado esas cualidades ordinarias hasta un nivel extraordinario.

—THEODORE ROOSEVELT

Sí, debe tener un currículum vítae. Cualquier persona con la que hable durante la etapa de búsqueda de trabajo querrá ver un currículum. Y aunque no se lo pidieran, es necesario encarar el proceso de elaborar uno propio. Recomiendo elaborar y reelaborar su currículum aunque esté encantado con su empleo actual, aunque ya le hayan ofrecido un nuevo empleo, aunque sepa que el tío Enrique le pedirá que se haga cargo de la empresa o incluso haya decidido iniciar su propia empresa. El proceso de elaboración del currículum implica ser capaz de presentar con claridad sus áreas de competencia más fuertes. Por cierto, el proceso de preparación puede llegar a ser más importante que el resultado obtenido, porque le enseñará a relatar su historia.

Además, lo animo a preparar un «discurso para el ascensor». En el tiempo que emplea un ascensor para ir de un piso al siguiente, tiene que poder explicar claramente qué busca y qué lo distingue de los demás. Cuanto más familiarizado esté con ese discurso y más seguro esté de que refleja exactamente quién es usted y qué puede ofrecer, tanto más fácil será decirlo con entusiasmo y convicción en diferentes situaciones.

El currículum le da una nueva oportunidad de presentarse como candidato para la próxima actividad que desea desarrollar.

Sin embargo, más allá de sus referencias, su elocuencia y algunos gráficos sorprendentes, su currículum no hará que las personas dejen lo que están haciendo y exclamen «¡Ésta es la persona que estaba buscando!» No se deje engañar por la fantasía de que un currículum «perfecto» le proporcionará múltiples propuestas de empleo. Si es muy bueno, sí hará que pase la primera selección y le abrirá la puerta para una serie de entrevistas con la persona que decidirá si lo contratan. Ésa es la única función que debe cumplir.

No es fácil pasar esta primera etapa, pero si mira la totalidad del proceso, sin duda es posible. Recuerde que un buen currículum vítae representa tal vez el 10% del proceso de una búsqueda de empleo eficaz. En este capítulo y en el siguiente veremos una serie de pasos en la búsqueda de empleo que lo ayudarán a superar las posibilidades de personas con mejores referencias, experiencia y capacitación. Una clara comprensión de todo el proceso de búsqueda le permitirá descubrir ofertas que otros nunca llegarán a ver.

Es preciso que su currículum lo presente como un candidato excepcional para el trabajo que desea obtener. No tiene por qué encerrarse ni limitarse a repetir lo que siempre ha hecho. He ayudado a dentistas, abogados y pastores en el proceso de reorientar sus carreras a través de la incorporación del concepto de «áreas de competencia transferibles».

CÓMO DARLE FORMA A LAS OPCIONES

Finalizado el proceso de mirar en su interior, ahora está listo para mirar hacia fuera en busca de las mejores opciones. Sólo después de adquirir una clara visión de aquello que es único en usted puede comenzar a pensar en las opciones concretas adecuadas a su perfil.

En relación con el currículum, sé bien que en un medio competitivo como el nuestro es preciso destacarse, y soy el primero en decir que el currículum es el lugar donde debemos presumir y adornar un poco nuestros logros. Sin embargo, he notado que están desapareciendo los adornos y que se ve una completa distorsión de los datos. La regla general parece ser exagerar y confundir.

En lugar de decir que daba la bienvenida a los clientes a la entrada de Wal-Mart, alguien dice que trabajaba como «coordinador de servicios al cliente de una empresa incluida en *Fortune 500*». La persona que atiende en

Jiffy Lube es un «especialista en distribución de gasolina», y el taxista figura en su currículum como «gerente de logística de transporte». El puesto en «ingeniería de inspección y preparación de carnes» describe el trabajo de un empleado de McDonald's que sólo tiene 18 años.

Recuerde que quien es hoy vicepresidenta de la división de personal, unos años atrás seguramente fue una estudiante universitaria que tuvo que pelear por su lugar. Probablemente conoce todos los trucos porque también ella se presentaba como «especialista en recursos humanos» en lugar de niñera por hora.

El concepto básico es que el currículum lo ayude a obtener una entrevista, pero desempeña un papel muy pequeño en el proceso de contratación. Prepárese para presentarse confiado en su potencial y para hablar sobre sus posibilidades de hacer una contribución efectiva.

EDIFICAR SOBRE BUENOS CIMIENTOS

La preparación del currículum, la búsqueda de un empleo, las entrevistas y la negociación del salario comprenden el aspecto logístico del proceso de conseguir un trabajo que le guste. Después de haber colocado buenos cimientos, puede dirigir su atención hacia estos importantes aspectos. Muchas personas le atribuyen enorme importancia al currículum, pensando que es el elemento determinante a la hora de decidir la contratación. Pero sería una tontería de parte de las empresas contratar a alguien basándose en el currículum. Éste no tiene por qué darle a la compañía toda la información necesaria para que tome una decisión inteligente sobre su contratación; su único propósito debe ser despertar el interés del entrevistador hasta el punto de que quiera verlo personalmente. El partido se juega en la entrevista; el resto es la ronda preliminar.

Su currículum es una herramienta de ventas que lo puede conducir adonde usted quiere llegar; por consiguiente, no se limite a describir sus trabajos anteriores, ya que eso puede no ser ventajoso en algunos casos. Hace poco, acompañé a un señor que durante años había sido gerente de farmacia. En ese cargo, su responsabilidad principal era contratar, capacitar y supervisar al personal. Ahora desafío al lector a adivinar qué trabajo le resulta realmente odioso a este hombre... Pues sí, precisamente contratar, capacitar y supervisar al personal. La pregunta es por qué presentarlo de tal manera que le ofrezcan un empleo donde tendrá que desempeñar esa misma función. Rearmamos su currículum con el fin de resaltar áreas de competencia tales como administración, planificación y operaciones. Tenía probada habilidad en este campo, y esto le permitía presentarse para desempeñar tareas en las que estuviera menos expuesto al contacto con la gente, es decir una tarea mucho más acorde con su personalidad.

Si desea que su carrera laboral tome otra dirección, puede comenzar diseñando un buen currículum. Y recuerde que si no es más que un listado cronológico de las tareas que desempeñó, seguramente lo encasillará en el mismo tipo de tarea que ha realizado hasta ahora. En cambio, si logra identificar áreas de competencia que tienen aplicación en otras empresas, industrias o profesiones, podrá cambiar de orientación.

Su conocimiento sobre el manejo de la búsqueda de empleo redundará en un cambio en los resultados. Muchas personas están convencidas de que no tienen encanto suficiente, no poseen los títulos necesarios, son demasiado jóvenes o demasiado viejos, o que tendrán malas referencias de parte de un antiguo empleador. Sin embargo, la manera en que se encara el proceso de búsqueda influye mucho más en el resultado que cualquiera de estos factores.

Veremos, además, cómo descubrir las oportunidades ocultas. Se sabe que tan sólo un 12% de los empleos disponibles aparece en los periódicos, en Internet o en algún otro medio. Usted puede encontrar esas oportunidades no anunciadas y reducir sensiblemente la competencia por esos puestos de trabajo.

Aunque se sabe que actualmente el empleo promedio en los Estados Unidos tiene una duración de tres años y dos meses, la mayoría de las personas sigue careciendo de la preparación necesaria para enfrentar las entrevistas. Creen que pueden enviar su currículum, lograr que una compañía decida que los necesita y presentarse para una entrevista de rutina. Nada más alejado de la realidad.

La entrevista es crucial. Éste es el momento de vender su imagen y sus habilidades y negociar la posición más satisfactoria. El tiempo que se le dedica a prepararse y practicar será tiempo bien invertido.

Se sabe que la mayoría de las veces las decisiones se toman en los primeros tres a cinco minutos, lo que prueba que el entrevistador no lee la letra pequeña en la página cuatro de su currículum, sino que se pregunta:

- ¿Me cae bien?
- ¿Se integrará bien al equipo?
- ¿Es sincero?
- ¿Será agradable trabajar con él?

Probablemente estas preguntas crucen la mente del entrevistador durante los primeros minutos cruciales. Debe cuidarse de no confiar demasiado en su formación académica y su experiencia laboral. Las empresas son conscientes de que contratan una persona integral, no simplemente un conjunto de habilidades definidas. Recuerde, usted está allí para *venderse* como el mejor candidato.

«¡SÓLO ME INTERESA CONSEGUIR UN EMPLEO!»

Sin importar qué banal, extenuante o denigrante sea un trabajo, siempre habrá alguien dispuesto a hacerlo. Al menos, eso reveló una encuesta informal realizada por Express Personnel Services, una agencia de empleo con sede en Oklahoma City, Oklahoma, Estados Unidos. La empresa ha contratado personas para trabajos temporales tales como limpiar la sangre y otros fluidos corporales del plexiglás durante los partidos de hockey por siete dólares la hora, mantener a los ciervos alejados de las pistas de un aeropuerto por ocho dólares la hora, y vaciar miles de latas de cerveza rancia en una canaleta por seis dólares la hora. Y ahora, el sueño de todo holgazán: ganar once dólares por hora por aparentar estar trabajando. La agencia explicó que una empresa en Redmond, Washington, contrató tres empleados temporales que debían aparentar ser profesionales muy ocupados para que los visitantes creyeran que su personal era más numeroso.

Durante mis estudios de posgrado en psicología clínica, tuve que analizar algunos muy interesantes. En uno de los experimentos se contrataba gente para cavar zanjas, rellenarlas nuevamente, avanzar 60 cm (2 pies) y repetir la operación. Aunque se siguió aumentando el jornal en forma considerable, al cabo de una semana, aproximadamente, los trabajadores dejaban el empleo. Nadie parecía dispuesto a hacer algo que obviamente carecía de sentido.

Permanentemente le explico a la gente que a fin de cuentas el dinero no es recompensa suficiente para invertir su tiempo y energía; debe haber un sentido, un propósito y una sensación de logro o realización.

LOS FACTORES QUE PREDICEN EL ÉXITO

Ahora bien, teniendo en cuenta las diferentes opciones y oportunidades de empleo, ¿cuáles son los factores que predicen el éxito? ¿Sigue siendo la *capacidad* el factor más decisivo?

En el libro *48 días para lograr un ingreso creativo*, propongo los siguientes cinco factores:

1. *Pasión*. Una persona que siente pasión es capaz de proponerse metas. Sin metas, no es posible decidir en qué dirección marchar, y uno queda a merced de las circunstancias.

2. *Decisión*. Sin un propósito claro, el menor obstáculo hace que una persona cambie de dirección. Si no tiene decisiones firmes, se apartará fácilmente del camino trazado.

3. *Talento*. Nadie tiene talento en todas las áreas, pero todos tenemos talentos. Descubra en qué área llega al nivel más alto. ¿Qué cosas le encanta hacer sin importar si le pagan o no por hacerlo?

4. *Autodisciplina*. Sin autodisciplina, una persona se deja llevar por los demás. La autodisciplina es el fundamento para que funcione todo lo demás.

5. *Fe*. Aun cuando todo esté ordenado de manera lógica, llega el momento de dar un paso de fe hacia lo desconocido. Nunca llegará a conocer nuevas tierras si mantiene un pie en la orilla.

¿DESEMPLEO? ¿QUÉ ES ESO?

¿Sabía que en la lengua tibetana no hay una palabra para «desempleo»? El desempleo es un concepto propio de nuestra cultura occidental donde tenemos empleos. En la sociedad tibetana tradicional, la mayoría de las personas eran agricultores, criadores de ganado o mercaderes. No existe el concepto de horario de trabajo o empleo. Habitualmente el trabajo es estacional, y se trabaja muy duro durante la época de la cosecha. Luego, fuera de temporada, las personas y la tierra descansan.

Este patrón de descanso y trabajo marcado por la naturaleza, ha sido reemplazado en nuestra cultura por la disponibilidad para el trabajo 24 horas al día los 7 días de la semana. En la iglesia suenan los teléfonos celulares, a las dos de la mañana llegan correos electrónicos que exigen respuesta y en la cocina de nuestra casa recibimos faxes con urgentes asuntos de negocios. Hemos creado ambientes artificiales con expectativas laborales igualmente artificiales.

Imagino que eso explica por qué al mirar atrás valoro tanto haberme criado en una granja donde el sol y la lluvia marcaban el ritmo de las actividades diarias. Aprecio enormemente los beneficios de la tecnología moderna, pero como ocurre con todos los avances, trae aparejada la responsabilidad de preservar el equilibrio de nuestra vida personal.

Siempre he alentado a las personas a saber reconocer tiempos que nos colocan «entre oportunidades». En lugar de sucumbir al pánico del desempleo, quizá debemos darle la bienvenida a un tiempo de restauración, rejuvenecimiento y oportunidad para descubrir nuevas perspectivas. Si lo vemos de esta manera, sin duda necesitaremos una nueva palabra. ¿Tiene alguna sugerencia?

LOS MITOS SOBRE EL CURRÍCULUM

Analice los siguientes mitos y manténgase alerta.

MITO 1: UN BUEN CURRÍCULUM Y CARTA DE PRESENTACIÓN HARÁN QUE OBTENGA EL EMPLEO.

Ojalá fuera así de simple. Los currículum y las cartas no consiguen empleos; son parte de la publicidad para conseguir entrevistas. Un currículum no debe dar la información que define la contratación; su única función es despertar el interés del lector por conocerlo personalmente. Un buen currículum debe ser fácil de leer y debe transmitir rápidamente el valor de sus logros. Considérelo un folleto publicitario como los que prepara cualquier empresa para anunciar un buen producto; el objetivo es crearle al comprador el deseo y la necesidad de conocer y tener ese producto. Y éste es precisamente el efecto que su currículum debe causar en quien lo lea.

- Escoja un tipo de letra sencillo. Olvídese de las fuentes sofisticadas y el diseño. Reserve esa creatividad para sus tarjetas de boda.
- Presente la información en párrafos breves que faciliten la lectura. Use viñetas en lugar de oraciones completas.

- Verifique que el texto no contenga errores ortográficos ni gramaticales.
- Dé información específica: informe que usted incrementó las ganancias en su zona de 3 millones a 5,3 millones de dólares en un período de tres años, o que redujo un 13% los gastos administrativos durante el primer año.
- No mienta. No describa sus funciones como gerente de compras cuando en realidad recogía pizzas semanalmente. No se presente como vicepresidente aprovechando la situación de que esa empresa ya no existe y no hay modo de comprobarlo. Y sea sincero respecto de sus títulos o certificados de estudio. En la actualidad, la mentira más frecuente en los currículum es la inclusión de una maestría inexistente. Los títulos académicos rara vez se verifican y algunas personas ceden a la tentación de agregar algo que les da una ventaja. Deseche cualquier pensamiento de ese tipo. Concéntrese en sus áreas de competencia para poder presentarse como uno de los mejores candidatos.

MITO 2: EL CANDIDATO CON LA MEJOR EDUCACIÓN, CAPACITACIÓN Y EXPERIENCIA, SIEMPRE SERÁ EL QUE OBTENGA EL EMPLEO.

Muchos son los factores que pesan en el momento de decidir una contratación. La educación, las habilidades, la edad y la capacidad son sólo algunos de los criterios aplicados. Los empleadores entrevistan a un candidato porque necesitan verlo: qué aspecto tiene, cómo interactúa y cómo encaja en su organización.

Un estudio reciente llevado a cabo por la Universidad de Yale muestra que el 15% de las razones que explican el éxito de una persona se deben a su habilidad y conocimientos técnicos, y el 85% restante surge de sus habilidades personales: actitud, entusiasmo, autodisciplina, deseo y ambición.

Esto explica por qué a menudo los candidatos con los mejores antecedentes en el papel no obtienen el empleo. Nos vendieron el mito de que un título garantiza fama y fortuna, como por arte de magia. Pero no funciona así en el mercado laboral actual. Muchas personas con una licenciatura en literatura están trabajando como camareros, y otros trabajan en mantenimiento de jardines después de haber obtenido una maestría. Evalúe de manera realista qué importancia tiene un título universitario en el campo que a usted le interesa. Incluso en cargos de alto nivel sus características personales pueden llegar a tener más peso que sus títulos. Michael Dell, Bill Gates, Ted Turner, Maya Angelou, Michelle Pfeiffer y Richard Branson no terminaron sus estudios universitarios y, sin embargo, llegaron a ocupar puestos de gran responsabilidad.

MITO 3: CONSEGUIR EMPLEO DEPENDE DE LOS CONTACTOS QUE TENGA O DE ESTAR EN EL LUGAR ADECUADO EN EL MOMENTO OPORTUNO.

Buena suerte es algo que le ocurre a las personas que tienen metas claras y planes de acción cuidadosamente elaborados. O la buena suerte es lo que ocurre cuando logramos reunir preparación y oportunidad. No espere a encontrarse en el lugar adecuado en el momento oportuno; genere usted mismo las situaciones y las circunstancias que lo conviertan en candidato para ocupar los mejores cargos en el lugar que sea. No es necesario conocer a la persona adecuada; se trata de que usted logre estar frente a la persona adecuada. Si hace todo lo que debe hacer, se sorprenderá al verse convertido en alguien muy afortunado.

MITO 4: LOS EMPLEADORES VALORAN LOS CURRÍCULUM LARGOS PORQUE ESA INFORMACIÓN DETALLADA LES AHORRA TIEMPO DURANTE LA ENTREVISTA.

Entre 30 y 40 segundos es el tiempo de atención que recibe la mayoría de los currículum. Debe lograr que sus áreas de competencia se vean claramente en ese tiempo. No hay regla fija acerca de limitarse a una sola página, pero normalmente no hay razón para superar las dos páginas. La clave reside en poder transmitir lo que más valor tiene en términos de ubicarse como el mejor candidato. Incluya sólo aquellos elementos que le permiten crear la imagen que quiere dar. Recuerde que no es un registro de su historial de trabajo sino un folleto publicitario. Tengo en mi archivo un currículum de quince páginas de una persona con un doctorado en química, que enumeró cada uno de los estudios en los que había participado. Es interesante como material de lectura, pero la cantidad de información es abrumadora.

MITO 5: EL CURRÍCULUM SIEMPRE DEBE INCLUIR EL SALARIO ANTERIOR Y EL SALARIO ESPERADO.

En absoluto; esto tendría un efecto negativo. Sin importar si su salario fue alto o bajo, no hay motivo válido para incluirlo en el currículum. El salario se debe negociar después que el empleador decida que usted es la persona adecuada para el trabajo. Sólo después de llegar a la conclusión de que el empleador quiere contratarlo y usted quiere trabajar para ellos, llega el momento de discutir la retribución económica. Cualquier comentario previo se volverá en su contra. Imagine la siguiente situación: si aspira a un cargo con una remuneración de 76.000 dólares anuales, y en su puesto anterior ganaba 41.000 dólares, podrían considerar que es un puesto demasiado elevado para usted. Asimismo, si ganaba 92.000 dólares en su anterior empleo, es posible que no tengan interés en entrevistarlo. Tenga siempre presente que los paquetes de remuneración que se ofrecen son muy flexibles. Si usted es la persona que están buscando, la empresa no tendrá dificultad para conseguir 10.000 dólares adicionales que le permitan incorporarlo a su tripulación. Pero si no logra llegar a la entrevista, no tendrá siquiera la oportunidad de hablar sobre el aporte que puede hacerle a la empresa.

MITO 6: LA CARTA DE PRESENTACIÓN SIEMPRE DEBE FINALIZAR CON LA FRASE: «QUEDO A LA ESPERA DE SU ATENTA RESPUESTA».

¡Jamás! Incluso en tiempos en que el desempleo es bajo, es poco realista esperar que el empleador tome la iniciativa. Recuerde que es usted quien debe tomar la iniciativa. Informe en qué momento llamará para acordar los próximos pasos: «Llamaré el jueves a la mañana para aclarar cualquier duda y para concertar una entrevista personal».

Tal vez le parezca algo avasallante o demasiado enérgico, y posiblemente lo sea, pero es necesario poner las cosas en marcha. El que persiste ve sus esfuerzos recompensados. Si desea obtener los mejores puestos, debe asumir la conducción del proceso. Nadie más interesado en su éxito que usted mismo, y por ende, nadie lo presentará mejor que usted mismo. Debe tomar la iniciativa para poder colocarse frente a las personas que están en condiciones de contratarlo. Recuerde que tiene un producto para vender, y ese producto es usted. En la medida en que encare este proceso desde esta perspectiva, los resultados serán mejores y más rápidos.

MITO 7: A MAYOR CANTIDAD DE CURRÍCULUM ENVIADOS, MAYOR PROBABILIDAD DE CONSEGUIR EMPLEO.

No necesariamente. El envío de 30 o 40 currículum acompañados de una carta de presentación bien redactada, combinado con llamadas telefónicas de seguimiento, son mucho más eficaces que 1000 currículum remitidos sin carta y sin llamado posterior. Internet es un recurso muy tentador porque basta oprimir una tecla para enviar un millón de currículum confiando en que la ley de probabilidades jugará a nuestro favor. Tal vez sea un buen método para jugar a la lotería, pero es poco probable que lo ayude a encontrar ese puesto de trabajo que le gustaría tener. Un currículum con un objetivo claro, y dirigido a las personas que tomarán la decisión, es lo que sigue asegurando buenos resultados.

MITO 8: UNA VEZ ENVIADO EL CURRÍCULUM, SÓLO RESTA ESPERAR.

Si no entra en acción, seguramente no obtendrá resultados. Siempre haga un seguimiento telefónico después del envío. Si no se ocupa del seguimiento, el envío de su currículum habrá sido en vano.

Pero aguarde un momento: ¿no es acaso la espera una actitud de la persona espiritual que sabe que Dios abrirá una puerta? Sin duda. Pero veo demasiadas personas que pasan demasiado tiempo esperando, que se retuercen las manos sentadas en su casa esperando que suene el teléfono, y veo muy poco trabajo durante todo este proceso. Dice Isaías 40:31: «Mas los que esperan en Jehová tendrán nuevas fuerzas, levantarán alas como las águilas, correrán y no se cansarán, caminarán y no se fatigarán» (RVR 95) ¿Lo ve? Las Escrituras hablan acerca de «esperar en el Señor». Sin embargo, si leemos con atención el versículo, vemos que esa espera renueva nuestras fuerzas y nos lleva a la acción: podremos caminar, correr y hasta ¡volar!

Recuerde que si sólo envía el currículum acompañado de una carta, según las estadísticas, deberá enviar 254 para tener una posibilidad de recibir un ofrecimiento de trabajo. En cambio, si combina el envío con un llamado telefónico, el número desciende a uno de cada quince; una diferencia abismal. Si a esto le suma una primera carta de presentación, verá resultados sorprendentes. Se trata de un procedimiento de ventas. Usamos un procedimiento repetido de tres tiempos como un principio de mercadeo. Lo único que debe hacer es comprometerse a cumplir con el procedimiento dentro del límite de tiempo establecido.

Si sigue este procedimiento correctamente, le aseguro que verá resultados. Un señor que no había recibido ninguna oferta de trabajo después de haber enviado más de 1000 currículum vítae a lo largo de 14 meses, logró 5 entrevistas y 3 ofertas en un período de 45 días siguiendo este procedimiento. Otra persona que no había logrado una sola entrevista en seis meses, recibió cuatro propuestas de trabajo en diez días al poner en práctica este sistema. Y alguien recién egresado de la universidad, sin ninguna experiencia laboral significativa, tuvo seis ofrecimientos de trabajo en diez días. Recuerde que nadie vendrá a buscarlo; usted debe emprender una búsqueda activa y audaz.

Si tienes entusiasmo, puedes hacer cualquier cosa que te propongas. El entusiasmo es la levadura que eleva tus esperanzas hasta alcanzar las estrellas. El entusiasmo es brillo en tus ojos, buen ritmo en tu andar, fuerza y control en tu mano, y el impulso irrefrenable de tu voluntad y tu energía para llevar a cabo tus ideas. Los entusiastas son luchadores; tienen fortaleza, tienen resistencia. El entusiasmo es el sustento de todo progreso. Con él, se alcanzan logros; sin él, no hay más que pretextos.
—HENRY FORD

► EJEMPLOS DE OBJETIVOS DE UN CURRÍCULUM Y OTRAS MANERAS DE PERDER EL TIEMPO

He aquí el objetivo incluido en un currículum, que me tocó revisar poco tiempo atrás:

«Contribuir al crecimiento y rentabilidad de una organización que ofrece desafíos, estimula los ascensos y recompensa los logros con oportunidades de desarrollar mi probada experiencia, habilidades y capacidad».

¿Contrataría a esta persona? ¿Qué sabe de ella? ¿Es alguien apto para dar vuelta hamburguesas o para ser gerente general de la empresa? ¿Tiene capacidad para supervisar, organizar, planificar, vender, hacer mercadotecnia, etc.? ¿Es competente en informática? Pues no lo sabemos. Este objetivo no dice absolutamente nada acerca de la persona, por consiguiente, fue una pérdida de tiempo de parte del candidato.

Ahora que sabe que la mayoría de los currículum sólo se mira durante 30 o 40 segundos, debe asegurarse de que quien lo reciba lea algo que despierte su interés en usted como candidato para el empleo. Comience con un resumen de sus habilidades, su perfil o especialización. Veamos un ejemplo:

Resumen de habilidades: más de catorce años ininterrumpidos en planificación y administración en el campo de la tecnología. Amplia experiencia en sistemas estratégicos y en organización y supervisión de proyectos. Entendido en investigación y desarrollo, desarrollo de producto y gestión financiera. Activa participación en el cumplimiento de las políticas y procedimientos de la empresa. Conocimientos especializados en empresas de informática, particularmente empresas de difícil implementación debido a su complejidad técnica y logística.

No malgaste su tiempo con una introducción general que enviará su currículum al último lugar. Aproveche los 30 segundos que le corresponden para transmitir aquello que lo distingue como candidato.

CÓMO REDACTAR UN CURRÍCULUM

Prepare su currículum de modo que sea una herramienta de ventas que lo lleve a ocupar el puesto que desea. Puede presentarse como el candidato ideal para trabajar en ventas y mercadotecnia, administración, organización y desarrollo, capacitación o cualquier puesto al que aspira, si sabe extraer lo mejor de su experiencia y presentarla de la manera que resulte más beneficiosa. Veamos cómo comienza el proceso:

Las habilidades que tengan valor de transferencia son la base de cualquier carrera que escoja. Una vez que ha logrado dominar determinada habilidad en un área, es posible transferir esa habilidad a otra área y aplicarla en otra carrera. Además, si lo desea, puede reagrupar sus habilidades de tal modo que le abran la puerta para un cambio de carrera. Use términos descriptivos como administrar, supervisar, instruir, planificar, organizar, capacitar, dirigir, editar, reclutar, escribir, vender, promocionar, crear, etc.

Cuanto más valiosas sean sus habilidades transferibles, tanto menor será la competencia que deba enfrentar por el trabajo que está buscando. Recuerde que los trabajos que requieren habilidades complejas plantean un desafío mayor porque rara vez se los publicita a través de medios convencionales. Conforme avance en el reconocimiento de sus áreas de competencia, le resultará más fácil identificar las organizaciones donde podría haber una coincidencia entre su interés y el de la empresa.

Siempre describa sus habilidades en los mejores términos posibles. El currículum es la instancia apropiada para presumir; no sea modesto. Como ya hemos dicho, no se trata de falsear su imagen y capacidad, sino de transmitir con convicción y firmeza lo competente que usted es.

Dé información concreta. Si es confiable, hace lo que se espera que haga y nunca llega tarde, está en condiciones de acceder a cualquier empleo de nivel inicial. Sin embargo, aunque son características muy positivas, no le permiten diferenciarse del resto. Si logra ser más específico acerca de qué lo distingue de otros candidatos, reducirá el número de posibles competidores y subirá algunos peldaños. Esto puede parecer extraño en un mercado laboral en el que parece necesario tener mil oficios para sobrevivir. Pero la realidad muestra que continúa siendo necesario presentar áreas de competencia distintivas que lo separen del montón.

No hay un único formato correcto para el currículum. Si progresivamente ha ido ocupando cargos de mayor responsabilidad, y desea continuar esa trayectoria, un formato que respete el orden cronológico probablemente sea lo más conveniente. En cambio, si desea darle una nueva orientación a su carrera, sería aconsejable adoptar un formato más funcional. Comúnmente se ve una combinación de formato cronológico y funcional que resulta adecuado en la mayoría de los casos. Sin dudas, un currículum combinado será la mejor opción en las siguientes situaciones:

- Desea cambiar de carrera y su empleo más reciente tiene poco que ver con lo que verdaderamente le gustaría hacer.
- Ha recorrido muchos lugares de trabajo, y los puestos que ocupó no tienen mayor relación unos con otros.
- Sus áreas de competencia corresponden a un puesto que ocupó hace varios años.
- Se reintegra al mercado laboral después de una ausencia prolongada.

«¡PERO NO QUIERO SER DENTISTA!»

Antes de ser un pintor famoso, Paul Gauguin trabajó en un banco. El novelista Tom Clancy comenzó su carrera como agente de seguros y Paul Newman era obrero de la construcción. Y muchas personas corrientes han cambiado docencia por operaciones de bolsa u odontología por mercadotecnia, o dejaron de ser abogados para ser concesionarios, o pastores para ser asesores.

Debido a que ahora las personas viven y trabajan más años, la carrera que elegimos a los 20 no siempre resulta adecuada 2 o 3 décadas más tarde. Debido a los cambios permanentes en medicina, educación o sistemas financieros, muchas personas dirigen su mirada hacia nuevas propuestas laborales que les resulten más satisfactorias.

Es posible cambiar de carrera sin apartarnos de nuestra vocación y misión. Insisto, sólo debe preocuparse por integrar sus habilidades y capacidades, sus inclinaciones personales y sus valores, sueños y pasiones.

Esto le dará sentido de continuidad aunque cambie de carrera, y le permitirá clarificar sus objetivos. No se deje llevar simplemente por los comentarios de que hay buenas posibilidades de empleo en un campo determinado. Si esas nuevas posibilidades no se adecuan a sus intereses y necesidades, seguirá sintiéndose frustrado dentro de tres o cinco años.

Debe cubrir al menos diez años de experiencia laboral, o más en caso de que alguna experiencia particular añada fortaleza a su presentación. No se preocupe si recién ingresa al mercado laboral; recurra a las áreas de competencia que ha demostrado tener en la escuela, la iglesia o la comunidad. Si ha sido ama de casa durante 18 años, no se presente como alguien que nunca tuvo empleo. En cambio, describa su capacidad de planificar, presupuestar, supervisar, organizar eventos, recaudar fondos, promover actividades, etc. Si está cursando la escuela secundaria, describa sus habilidades en atención al cliente, servicio confiable de entregas a domicilio, responsabilidad, diseño gráfico o conocimiento y manejo de Internet.

El haber tenido diferentes empleos ya no enciende la señal de alerta como ocurría en otro tiempo. Las empresas saben que para avanzar es necesario cambiar de trabajo. Además, todos son conscientes de que debido a la volatilidad del mercado laboral, un buen empleado a menudo pierde el empleo sin que medie falta alguna de su parte. Sin embargo, no debe incluir los puestos que ocupó durante períodos breves. Recuerde que es conveniente incluir sólo los años en el currículum, no los meses, con el fin de que no llame la atención la corta permanencia en algunos cargos.

LOS SUCESIVOS CAMBIOS DE EMPLEO, ¿SIGUEN SIENDO UNA DESVENTAJA?

Cambiar de empleo a menudo y al poco tiempo de ingresar ya no es considerado una desventaja como ocurría en el pasado, explica Allen Salikof, presidente y ejecutivo principal de Management Recruiters International Inc., una empresa de reclutamiento de personal. Más aún, puede ser un punto a favor. Tradicionalmente, cuando un empleador veía en un currículum un patrón de sucesivos cambios de empleo, pasaba por alto ese candidato y optaba por alguien más constante. Pero en la actualidad, dice Salikof, los cambios de empleo ya no se consideran «el beso de la muerte» en las referencias de un trabajador. Por el contrario, los empleadores prefieren a los trabajadores que han tenido múltiples experiencias, y algunos de ellos pierden todo interés en candidatos que han pasado demasiado tiempo en un mismo puesto o en la misma empresa por considerar que probablemente no se vieron en la obligación de mantener el ritmo de cambios que impone el mercado laboral, particularmente en el campo tecnológico.

«Si el historial del candidato muestra un ascenso constante en las responsabilidades y el salario –dice Salikof–, los cambios de un lugar a otro pueden convertirse en un elemento sumamente positivo». En algunas industrias es posible que le pidan que explique por qué permaneció en un mismo empleo durante tanto tiempo. ¡Vaya cambio respecto del esquema de pensamiento tradicional!

En cuanto a la información o comentarios que no debe incluir en el currículum, lo invito a repasar la lista de frases tomadas de documentos reales, preparada por Robert Half para la columna mensual titulada *Resumania* [Currículomanía], del semanario *National Business Employment Weekly:*

- Soy perfeccionista y cuido cada detalle.
- Nota: coloque este currículum en el primer lugar. Use el resto para calefaccionar su casa.
- Puedo presentar referencias a pedido del solicitante.
- Experiencia laboral: arreglar los problemas que siempre tienen los clientes.
- Probada habilidad para detectar y corregir erores.
- No dé crédito a los comentarios de mi antiguo empleador; era un explotador y nunca supo apreciar el valor de las personas.
- Tengo un perfecto sentido de lealtad hacia mi empleador. Puede dejar su respuesta en el correo de voz en mi oficina.
- Antecedentes laborales: búsqueda de empleo infructuosa; programa de estudios de posgrado incompleto; no aprobé el examen para obtener la matrícula profesional como abogado.
- Antecedentes laborales: dejé mi anterior empleo porque me aplicaron una sanción disciplinaria por llegar tarde.

MALAS REFERENCIAS

¿Qué sucede si usted realmente se lleva mal con su actual jefe? ¿Significa que no puede cambiar de trabajo porque todo nuevo empleador deberá hablar con el Sr. Tonto para verificar sus referencias?

Comenzaré aclarando que es bastante raro que su nuevo empleador hable con su antiguo jefe. Y agrego: no lo incluya en la lista de referencias. ¿A qué otras personas de la empresa podría presentar como referentes? Piense, por ejemplo, en un proyecto en el que haya participado recientemente; ¿podría nombrar al jefe de proyecto como referencia? ¿Hay algún jefe anterior que cante loas a su nombre? ¿Conoce clientes que hablarían bien de su relación con ellos? ¿O tal vez personas con las que hizo trabajo voluntario? Las actividades desarrolladas en la iglesia o en la comunidad son referencias legítimas. ¿Hay algún antiguo profesor que cree en su capacidad y potencial?

Por otra parte, debe ser realista acerca del lugar que ocupan las referencias en su posible contratación. Habitualmente, sólo se llama a los referentes después de haber tomado la decisión de contratar a la persona; nadie invertirá tiempo consultando referencias a menos que se haya decidido que usted es la persona indicada para el puesto. Debido a mi trabajo como consejero laboral y vocacional, la gente a menudo incluye mi nombre como referencia. Puedo asegurar que no llego a recibir ni tres llamadas al año de posibles empleadores. Dadas las características del actual mercado laboral, muy pocos empleadores hacen las verificaciones que deberían hacer.

Un consejo o una advertencia: si le preguntan sobre su actual jefe, busque la manera de darle un tono positivo a lo que haya sucedido. No haga comentarios negativos sobre su jefe o jefa, y no diga nada que no le hayan preguntado.

Recuerde que el currículum es sólo una herramienta de venta que debe ayudarlo a conseguir una entrevista.

Debe sentirse libre de tomar elementos de otros currículum y adaptarlos al suyo, pero recuerde que debe ser un documento personal. El contenido del currículum debe adaptarse a su situación; si hay algún dato o frase que no contribuye a presentarlo como candidato para el trabajo que aspira a conseguir, no lo incluya o no lo resalte.

Ahora ya está en condiciones de preparar o revisar su currículum. No complique este proceso más de lo necesario. Debe quedar listo después de haberle dedicado una o dos horas de trabajo. Si debería quedar muy bien, pero no olvide que representa sólo un 15% del proceso. La búsqueda creativa de empleo, la carta de presentación, las llamadas telefónicas de seguimiento y la preparación para la entrevista son elementos igualmente importantes. Puede crear su propio modelo de currículum o escoger alguna de las plantillas que encontrará en cualquier procesador de textos.

¿EDUCACIÓN? ¿QUÉ ES ESO?

Continúo recibiendo un aluvión de correos electrónicos que plantean motivos de preocupación sobre la educación. «Tengo 27 años, me gradué en psicología, pero aún no sé qué quiero hacer». «Mi hijo dejó la Universidad, y me preocupa pensar que así no llegará a ninguna parte». «Soy abogado; egresé de la Facultad hace cuatro años, pero creo que me equivoqué».

¿Qué entendemos por educación? ¿Sigue teniendo validez nuestra concepción tradicional acerca de obtener un título? Los diccionarios definen la acción de educar como «preparar la inteligencia y el carácter» de una persona o «preparar a alguien para cierta función o para vivir en cierto ambiente o de cierta manera». Las definiciones muestran claramente que podemos educarnos de diversas maneras, y no hay duda de que no es un proceso limitado al salón de clase.

He pasado buena parte de mi vida en el mundo académico, donde obtuve una licenciatura, una maestría y finalmente el doctorado. Y aún así, me preocupa el exceso de promoción que se le da a este tipo de educación en nuestro país. Sabemos que diez años después de graduarse, el 80% de los egresados de la Universidad se encuentra trabajando en algo que no tiene ninguna relación con el título que obtuvo. La mayoría de nuestros actores, músicos y dueños de empresas no encontró en la Universidad la clave del éxito. Hay dos motivos que nos impulsan a ir a la Universidad: (1) conseguir un título, un pedazo de papel, para que luego alguien nos dé un empleo, y (2) lograr un mejor nivel de desarrollo personal.

Si su única motivación es conseguir un título, probablemente se sentirá decepcionado. El segundo motivo, en cambio, es algo que nunca le podrán quitar. Pero debe saber que hay muchos lugares donde podemos crecer en nuestro desarrollo personal. Se puede trabajar en la construcción, en una granja orgánica, en una guardería o en un salón de clase sabiendo que todos ellos ofrecen instancias legítimas de crecimiento y educación.

CUENTA REGRESIVA HASTA LLEGAR AL TRABAJO QUE LE GUSTA

1. ¿Reconoce sus áreas de competencia?
2. ¿Siente que su experiencia laboral presente o pasada lo mantiene atrapado?
3. ¿Se da cuenta de la facilidad con que sus habilidades pueden ser transferidas a una nueva industria o profesión?
4. ¿Reconoce el valor de las actividades que quizá realizó como voluntario a través de la iglesia u organizaciones de la comunidad?
5. ¿Necesita adquirir algunas habilidades o recibir alguna capacitación para llegar a ser un buen candidato para el trabajo que le gusta?
6. ¿Cree que Dios le ha dado habilidades que no coinciden con sus deseos? Si su respuesta es afirmativa, ¿qué puede hacer para conciliar sus habilidades y sus sueños?

Cómo encontrar su camino

Dos caminos se abrieron ante mí en un bosque amarillo;
apenado porque no podía transitar los dos
siendo yo un solo viajero, me detuve por largo tiempo
y seguí uno de ellos con la mirada, tan lejos como pude,
hasta una curva donde comenzaba la maleza.
Luego, tomé el otro camino, tan válido como el primero,
aunque quizá me asistía mejor razón:
el pasto estaba crecido y necesitaba la marca de pisadas;
aunque a decir verdad, ambos caminos mostraban
casi idénticas señales de haber sido transitados,
y esa mañana los dos yacían cubiertos de hojas
que ningún pie había pisado.
¡Ah! Decidí dejar el primero para otro día.
Pero sabiendo cómo un camino a otro camino nos lleva,
dudé si alguna vez regresaría.
Sé que en lugares y tiempos por venir,
diré esto con un suspiro:
dos caminos se abrieron ante mí en un bosque amarillo:
yo tomé el menos transitado,
y eso lo cambió todo.
—ROBERT FROST, THE ROAD NOT TAKEN [EL CAMINO QUE NO ELEGÍ]

Tal vez su situación sea como la de tantos otros que tienen empleo pero se preguntan si no habrá algo mejor en otro lugar. Quizá ya llegó al punto de encontrarse «entre oportunidades» y está preparado para asumir un nuevo compromiso. La búsqueda de empleo en nuestro medio es completamente diferente de lo que era algunos años atrás.

Recuerde la transición que mencionamos de trabajador manual a trabajador del conocimiento. Si su trabajo implica ocupar un lugar junto a la cadena de montaje y armar portaviandas, usted pertenece al grupo de trabajadores manuales. Cuando regresa a su casa, a la noche, la cinta transportadora, las máquinas, el inventario de las piezas y los portaviandas no terminados, todo queda en el edificio de la empresa. Es decir, los medios de producción empleados le pertenecen a la empresa.

Pero si usted trabaja en contaduría, procesamiento de datos, ventas y mercadotecnia, atención al cliente, armado de redes de computadoras, si escribe o edita, hace análisis financieros y una enorme cantidad de funciones similares, cuando regresa a su casa a la noche se lleva los medios de producción con usted. Las herramientas de trabajo se encuentran básicamente en su cerebro. Por consiguiente, sus habilidades tienen un valor de transferencia mucho más alto que las del trabajador manual. Además, fíjese cómo el trabajador del conocimiento se perfecciona al avanzar en edad y alcanzar mayor madurez. Si su trabajo consiste en colocar durmientes de ferrocarril, probablemente su rendimiento comenzará a declinar a los 35 años. En cambio, el trabajador del conocimiento puede continuar aumentando sus opciones, habilidades y posibilidades de contratación hasta los 70 u 80 años.

▶ LOS TRABAJADORES MAYORES DE 50 AÑOS, ¿SE ENFERMAN CON MÁS FRECUENCIA?

Éste es tan sólo un ejemplo de los mitos sobre los trabajadores de más edad. En los Estados Unidos, según cifras del Consejo de Seguros de Vida, los trabajadores de 45 años y mayores se enferman un promedio de 3,1 días al año, comparados con un promedio de 3,8 días para el rango de edad de 17 a 44 años.

La compañía de cosméticos Bonne Bell Cosmetics, en Westlake, Ohio, tiene una plantilla de empleados cuyas edades oscilan entre 55 y 92 años, y cubren turnos de 24 horas 5 días por semana. Bell encontró empleados que describe como «muy trabajadores, eficientes, puntuales y entusiastas».

Las oportunidades para las personas mayores crecen día a día. El mito de que después de los 50 no hay más oportunidades dejó de tener sentido. Y no me refiero sólo a personas que saluden a los clientes en Wal-Mart o den vuelta hamburguesas. Mi padre, que hoy tiene 90 años, después de su «jubilación» condujo a personas de la comunidad amish a bodas, funerales, etc., hasta los

86 años, por un dólar la milla. Un trabajo perfecto para alguien de 86 años que podía disfrutar de la compañía de personas de formación similar a la suya y ganar entre 400 y 500 dólares al día.

No hay duda: el empleo está cambiando. Y por ende, cambian los métodos de búsqueda de nuevas oportunidades. No alcanza con mirar el periódico el domingo, ver que una ferretería en su zona necesita empleados, presentarse el lunes a la mañana y hablar con el tío Fred para conseguir un nuevo empleo. La volatilidad y la incertidumbre, sumadas a la ductilidad y capacidad de transferencia de las habilidades del trabajador del conocimiento, han permitido que millones de personas estén buscando empleo. Al saber que la duración del empleo promedio es de tres años y dos meses, incluso las personas que tienen trabajo están buscando su próximo empleo. En consecuencia, al aviso que usted vio en el periódico lo leyeron unas 3000 personas perfectamente capacitadas que pueden ser candidatos viables.

QUÉ PISTAS SEGUIR EN LA BÚSQUEDA DE EMPLEO

¿Cómo debemos enfrentar esta nueva realidad y cómo encontrar el empleo que mejor se ajuste a nuestra situación? El método de búsqueda más efectivo es el siguiente: conozca bien sus habilidades, investigue el potencial de compañías que necesiten esas habilidades, haga arreglos para ver a la persona que puede tomar la decisión de contratarlo y solicite una entrevista. Este método, seguido al pie de la letra, le asegura empleo a 86 de cada 100 personas que lo ponen en práctica.

Compárelo con las siguientes opciones:

Responder anuncios en el periódico local le permite obtener empleo a 8 de cada 100 personas (cuanto más alto es el cargo al que aspira, menos eficaz resulta este método). Veamos por qué resulta tan poco eficaz. En primer lugar, existe una demora hasta que se publica el aviso. Si se ha hecho público que hay una vacante, es probable que los demás empleados hayan recomendado a alguien para ocupar el puesto. No es inusual que la decisión esté tomada antes de que el aviso llegue a publicarse. En segundo lugar, las empresas siempre buscan la manera de contratar personal competente sin tener que revisar los antecedentes de cientos de candidatos. Por lo tanto, un empleo que se anuncia en el periódico puede ser señal de que los empleados no han recomendado el puesto a las personas que conocen (lo cual podría hablar des-favorablemente de ese puesto de trabajo). En tercer lugar, el aviso que usted vio también lo vieron miles de personas. Si es un ofrecimiento codiciable, la compañía recibirá entre 200 y 300 solicitudes, y será difícil lograr que su currículum se destaque. Las probabilidades estarán en su contra. Y en cuarto lugar, muchos de los anuncios en los periódicos son «avisos ciegos», es decir, no se sabe exactamente en qué consiste el empleo o qué compañía lo ofrece. Los encargados de reclutar personal publican este tipo de avisos simplemen-te para crear expectativas sin tener un puesto concreto vacante. Muchas empresas publican avisos ciegos para comprobar si sus empleados están bus-cando nuevas oportunidades de empleo. Si dedica más del 10% de su tiem-po a buscar empleo por este camino, está malgastando tiempo y energía que debería invertir en actividades más productivas.

Las agencias de empleo privadas y las búsquedas de los cazatalentos le permi-te obtener empleo de 4 a 22 personas de cada 100 que recurren a este medio (una vez más, depende del tipo de empleo que se busque. Cuanto más alta es la jerarquía del puesto, menores son las posibilidades). Nadie podrá presentar-lo tan bien como usted mismo y nadie se interesará por su situación más que usted mismo. Recibo numerosas consultas acerca de este proceso. En sínte-sis, mi opinión es que si queremos una búsqueda realmente eficaz, no pode-mos delegarla en otros. No debe siquiera imaginar la posibilidad de inscribirse en varias agencias de empleo y luego irse a casa a esperar que sue-ne el teléfono. Seis meses más tarde podría seguir sentado junto al teléfono. Recuerde que es usted quien debe conducir todo el proceso.

Responder anuncios en publicaciones especializadas le permite obtener empleo a 7 de cada 100 personas (hay mucha demora, etc.) He escuchado más de una historia terrible acerca del proceso de selección para este tipo de car-gos de alto nivel. Una mujer joven que trabajaba reclutando personal para un banco se postuló para un cargo directivo en una Universidad, que había sido promocionado a nivel nacional. Se presentaron 386 candidatos, de los cuales quedaron 8, incluida ella. A cada una de estas personas se la convocó para una serie de entrevistas durante todo un día, incluido un almuerzo con el rec-tor de la Universidad y su esposa. Después de esa instancia, el número de can-didatos se redujo a tres. Cabe destacar que el proceso abarcó ocho meses. Mi clienta ya se había despedido emocionalmente del empleo que tenía en aquel momento, porque se daba cuenta de que era la persona idónea para ese cargo y por el entusiasmo ante esta nueva oportunidad. Finalmente la Universidad se pronunció por un candidato, pero no fue esta mujer de quien yo había dado referencias. Inesperadamente me encontré con uno de los integrantes del comité poco tiempo después, y le pregunté cómo habían hecho para conseguir un candidato más competente que mi cliente. Sin dudarlo, aceptó que ella era la mejor candidata y que superaba a todos los demás; sin embargo, la decisión se había tomado antes de publicar el aviso. Se trataba de un caso más en el que lo que contaba era ser primo de, tía de, sobrina de, etc.; no había existido un proceso objetivo de selección. Simplemente habían cumplido las formalidades para dar una apariencia de equidad. Mi clienta, terriblemente decepcionada, dejó su empleo y regresó a su ciudad natal.

Menos del 1% de las personas que buscan empleo lo obtienen a través de anuncios publicados en Internet (la mayoría de las personas que usan Internet como su principal herramienta de búsqueda de empleo, no hacen más que esconderse, evitar el contacto real, y por lo tanto, perder el tiempo). Si vive en los Estados Unidos, los avisos en sitios como Monster.com o HotJobs.com pueden parecerle perfectos, pero conviene recordar que todo lo que usted ve, miles de otros buenos candidatos lo ven también. Aunque siempre hay excepciones, los resultados en este tipo de búsqueda son muy pobres. Un alto porcentaje de empresas que ha contratado personal a través de Internet evalúa la experiencia como negativa. Se ve un movimiento pendular hacia lo que se conoce como «entrevista conductual», en la que el entrevistador quiere tener contacto real con el candidato: verlo, hablar y almorzar con él. Además, tenga en cuenta que al responder avisos en Internet, está considerando oportunidades de trabajo que pueden llevarlo a cualquier lugar del mundo, que no es lo más apropiado si ha decidido que las prioridades personales y familiares ocupen un lugar importante en su plan de vida.

▶ **¿REALMENTE CREE QUE VERÁN SU CURRÍCULUM ENTRE 790.000?**

La reglamentación federal que les exige a muchas empresas estadounidenses conservar, durante un año o más, los datos de las personas que solicitaron empleo, les crea numerosas complicaciones a los empleadores que reciben aluviones de currículum en línea.

«Es un gran problema para las compañías, y es un tema candente», explica Barbara Murphy, vocera de Boeing, que recibió 790.000 currículum el año pasado.

Las opiniones contrarias a la reglamentación dicen que la normativa de la década del 70 no puede aplicarse en la era de Internet porque es difícil conocer la raza de los candidatos «en línea»; por lo tanto, no tiene sentido archivar los currículum.

Sea como fuere, debe ser consciente de que el sistema pasivo de enviar su currículum por correo electrónico o fax nunca ha dado buenos resultados en términos de una búsqueda de trabajo profesional. Es una manera sencilla de mantenerse ocupado y no obtener resultados.

Le propongo mejores métodos de buscar trabajo que están a su disposición:

Dirigirse directamente al empleador sin preparar ningún material previo le permite obtener empleo a 47 de cada 100 personas. Simplemente presentarse allí, sin anunciarse, funciona la mitad de las veces. Tenga presente que éste es el segundo método más eficaz pero funciona mejor con empleos de baja jerarquía. Si quiere trabajar en las grandes cadenas de tiendas o supermercados, no pierda tiempo organizando una búsqueda sofisticada. Simplemente diríjase allí y preséntese listo para comenzar. Con frecuencia recomiendo algo similar, incluso a profesionales, como parte de un plan de transición. En este tipo de trabajos, no es raro que contraten a una persona de inmediato.

Pedirle información sobre posibles trabajos a los amigos le permite obtener empleo a 34 de cada 100 personas que lo ponen en práctica. No dude en compartir con otros su búsqueda. En ventas, se habla de la «regla del metro»: cada vez que uno se encuentra a un metro de una persona, debe hablarle del producto que vende. Si está buscando trabajo, tiene un producto para vender: usted mismo. No tiene por qué expresarlo como una queja o un pedido de auxilio, simplemente pídales un consejo o una opinión. Pregúnteles qué harían en su lugar o cómo creen que debería buscar un empleo que coincida con sus habilidades.

Pedirle información sobre posibles trabajos a los familiares le permite obtener empleo a 27 de cada 100 personas que prueban este método. Sí, el sistema familiar es un buen recurso para encontrar nuevas oportunidades laborales.

Recurrir a la oficina de colocaciones de la Facultad o Universidad donde estudió le permite obtener empleo a 21 de cada 100 personas que usan este método. Las facultades y universidades saben que encontrar empleo no es algo que se hace de una vez y para siempre. Los egresados regresan después de 18 meses o después de 3 años o más.

El conocimiento que adquiera acerca de cómo encarar una búsqueda de trabajo productiva le será útil en más de una oportunidad a lo largo de su vida laboral.

Una vieja regla general dice que el proceso de búsqueda de empleo requerirá 30 días por cada 10.000 dólares de remuneración. Vale decir, deberá buscar durante 6 meses para acceder a un empleo de 60.000 dólares de salario anual. Esta estadística puede parecer desalentadora, pero preste atención a las cifras que llevan a ese resultado: la mayoría de las personas que busca empleo contacta a cuatro o cinco compañías al mes. Siguiendo este ritmo, probablemente tarde seis meses. Sin embargo, encontrar empleo se equipara con un proceso de ventas, y si entiende cómo manejar los números, puede mejorar sensiblemente sus posibilidades de éxito.

En la búsqueda de empleo, la diferencia sustancial entre quien lo consigue y quien no, no es su habilidad, educación, edad o capacidad, sino la manera de encarar la búsqueda (probablemente, ¡la afirmación más importante en todo el libro!)

Si usted vende aspiradoras, es probable que la compañía le informe que según los registros, 1 de cada 23 contactos concreta la compra del producto. Le toca a usted decidir si hará los 23 contactos en un día o si hará un contacto diario durante los próximos 23 días. La velocidad con que establezca los contactos determinará en qué momento alcanzará su objetivo. Piense que la búsqueda de empleo es un proceso muy similar. Mi propuesta es un período de 30 días de actividad intensa, que le permitan acceder a la remuneración deseada en menor tiempo.

Las dos terceras partes de las personas que buscan empleo dedican cinco o menos horas semanales a la búsqueda, según la Oficina de Censo y Estadística de los Estados Unidos. Si tiene verdadero interés en obtener un nuevo empleo, no puede permitirse un ritmo tan lento. Mi consejo, basado en los casos exitosos que vi, es que le dedique 35 horas semanales a la búsqueda. Esto reducirá sustancialmente el número de semanas y meses requeridos para una búsqueda productiva.

«JORNAL BAJO, HORARIO EXTENSO»

«Se requieren hombres para viaje peligroso. Jornal bajo, horario extenso». Este anuncio fue publicado a comienzos del siglo XX por el explorador Ernest Shackleton, que buscaba hombres que lo acompañaran en una expedición al Polo Sur. El aviso convocó a más de 5000 valientes candidatos.

Y usted, ¿está buscando un puesto seguro y estable? ¿Un puesto previsible, con garantías, libre de amenazas? Tal vez esté perdiendo las mejores oportunidades... Estoy convencido de que si no hay posibilidad de derrota o fracaso, la victoria será menos dulce.

David Livingstone, instalado en lo profundo del continente africano, recibió una carta de una sociedad misionera que le preguntaba: «¿Encontró un buen camino para llegar hasta donde usted se encuentra? Si así fuera, nos gustaría saber cómo podemos enviar más hombres para que lo ayuden». Livingstone respondió: «Si sus hombres sólo están dispuestos a venir si hay un buen camino, no los necesito. Quiero hombres dispuestos a venir aunque no haya caminos».

EL PROCESO DE BÚSQUEDA DE TRABAJO

Esta fase del proceso es intensa pero breve y focalizada (si le dedica 35 horas semanales). No crea que no podrá hacerlo si está trabajando. Le aseguro que se puede. Hoy, la mayoría de los que buscan trabajo tiene un empleo. Excepto las entrevistas, todo lo demás puede hacerse sin interferir con una jornada laboral regular. Sólo es preciso que lo considere como un esfuerzo intenso pero breve que lo llevará al futuro al que aspira.

¿TEME QUE LE FALTE EXPERIENCIA?

Con frecuencia la gente se sorprende cuando le hablo de una búsqueda creativa de empleo que puede significar salir de la docencia e ingresar a recursos humanos, o dejar abogacía por un trabajo en ventas y mercadeo. Sin embargo, oímos comentarios de un número creciente de empleadores que admiten resultar decepcionados cuando sólo tienen en cuenta la experiencia pasada de un candidato como factor que puede predecir un desempeño exitoso.

Herb Greenberg, presidente y ejecutivo principal de Caliper Corporation, una compañía de consultoría y evaluación psicológica de recursos humanos en Princeton, Nueva Jersey, señala: «Si sólo vemos la situación desde la perspectiva de la buena práctica empresarial, ese criterio [la experiencia pasada] es irrelevante en términos de predecir un buen desempeño».

En contrapartida, Greenberg insta a los empleadores a tener en cuenta lo que él llama *afinidad con la tarea*, es decir, evaluar las fortalezas esenciales de los candidatos, independientemente de lo que hayan hecho hasta ese momento. En un estudio que realizó recientemente, halló que de 38.000 nuevos empleados en puestos de alta rotación, el 57% de los contratados que tenía experiencia dejó el trabajo al cabo de un año, en contraste con un 28% de los contratados sin experiencia que habían recibido capacitación.

Puede postularse para trabajar en nuevos campos resaltando sus áreas de competencia en su currículum y minimizando su historial y los cargos que ocupó anteriormente. Competencias tales como habilidades organizativas, capacitación o servicios al cliente lo hacen apto para trabajar y ocupar cargos en rubros muy diversos.

TIEMPO DE PREPARACIÓN

Identifique entre 30 y 40 compañías. ¿Está buscando un lugar que tenga entre 20 y 85 empleados? ¿Una empresa comercial o una organización sin fines de lucro? ¿Una compañía manufacturera o de servicios? ¿Una compañía bien establecida o una nueva? ¿Le gustaría viajar o volver a su casa cada noche? ¿Le gustaría una organización en el campo de la salud, comercio minorista, finanzas, espectáculo o una imprenta? Consulte la guía empresarial de su ciudad, la guía de la Cámara de Comercio y una guía de la industria (puede solicitarlas en cualquier biblioteca pública) para armar la lista (la mayoría de las bibliotecas tiene información que le permitirá seleccionar compañías que operan en el nivel local y nacional).

Es usted quien debe decidir con qué empresas le gustaría trabajar. No tiene por qué esperar hasta que anuncien una vacante o que alguien le diga que necesitan personal. Estos métodos habituales generalmente lo obligan a competir por la mayoría de los empleos deseables con 70 u 80 personas, mientras que aplicando esta nueva metodología tal vez deba competir con dos o tres candidatos. Recuerde: cuando ve un anuncio de un puesto de trabajo, ya perdió la mejor oportunidad de conseguirlo. Además, éste es el método que le permitirá encontrar el 87% de los empleos que nunca llegan a anunciarse. En un mercado laboral de rápidos cambios, todos buscan buenos empleados. Encare una búsqueda activa.

Ponga en práctica *los tres pasos clave en la búsqueda de empleo*:

1. Envíe una carta de presentación a cada compañía (no mande más de quince por vez para poder hacer el seguimiento correspondiente). El único propósito de la carta de presentación es que registren y recuerden su nombre. No olvide que se trata de un proceso de ventas, y estamos aplicando una técnica de ventas. Piense en una compañía que vende equipos para tratamientos de aguas: si logran que vea o reciba información sobre el producto al menos tres veces, aumenta considerablemente la probabilidad de que le compre el equipo a esa empresa. Al enviar la carta de presentación, da comienzo a ese proceso. Es necesario que la compañía que es su objetivo vea o reciba información sobre usted al menos tres veces. La carta de presentación es la primera de un mínimo de tres comunicaciones que deberá establecer durante el proceso.

2. Envíe el currículum vítae con una breve carta introductoria una semana después de haber enviado la carta de presentación. Dirija la carta a una persona determinada. Puede obtener el nombre de la guía empresarial o llamar a la empresa. Las recepcionistas son una excelente fuente de información si solicita los datos con amabilidad. No pierda el tiempo enviando cartas al Departamento de Personal, a Recursos Humanos o «A quien corresponda». Identifique a una persona que tenga la capacidad de tomar decisiones respecto de la contratación. En la mayoría de las compañías, será el gerente de Ventas, el vicepresidente de Operaciones, el presidente, el gerente general, etc. Las herramientas de búsqueda en Internet le permitirán encontrar información acerca de la mayoría de las empresas.

3. Llame para hacer el seguimiento. Este paso es sumamente importante, pero sólo lo cumple el 1 o el 2% de los que buscan empleo. Resulta muy fácil hacer que su nombre encabece la lista con sólo hacer una llamada. ¡No tema ser insistente! Llame cuatro o cinco días después de haber enviado su currículum. Sí, sé lo difícil que es sortear los filtros y el correo de voz, pero si el proceso fuera fácil, todo el mundo lo pondría en práctica; su objetivo es distinguirse del resto. No deje mensajes en el correo de voz excepto algo breve que sirva como recordatorio de su nombre. No sugiera que esta persona lo llame; no espere que lo haga y no dé instrucciones al respecto. Si responde el correo de voz, cuelgue y llame a la recepcionista: «No logré comunicarme con Bill. ¿A qué hora llegará hoy?» o «¿A qué hora suele llegar a la mañana?»

Trate de obtener toda la información posible. Cuando finalmente logre comunicarse, diga: «Habla George Smith. Llamo en relación con una carta y un currículum que envié recientemente. Sé cómo trabaja su empresa, y para ser sincero, creo que podría hacer un aporte positivo. ¿Cree que podríamos tener una entrevista y conversar?» Le sorprenderá saber con cuánta frecuencia la persona responde: «¿Por qué no viene mañana a las dos de la tarde?»

No es inusual que los profesionales muy competentes opongan resistencia al elemento de agresividad que implica cualquier búsqueda de empleo eficaz. Suelen pensar que sus títulos y excelentes antecedentes hablan por sí mismos y que forzar los contactos y entrevistas es, en cierto modo, poco profesional. Lamentablemente, estamos inmersos en un mercado laboral. La conocida frase de Emerson: «Fabrica una mejor ratonera que tu vecino y aunque vivas en el bosque, todo el mundo llegará hasta tu puerta», ya no se cumple. Es preciso tener un plan de ventas definido para triunfar en cualquier escenario, y la búsqueda de trabajo no es la excepción.

Nota importante: insisto, no crea que ignoro las posibilidades que ofrece Internet. Por supuesto, sé que es posible obtener la dirección de correo electrónico de 10.000 directores de Recursos Humanos y asegurarse de que esta misma tarde su magnífico currículum estará en su casilla. Pero también sé que 9.999 de ellos lo considerarán una intromisión. Además, ahora sabemos que el 75% de las compañías que contrataron personal a través de Internet informan que la experiencia fue negativa. Un currículum impreso, con una presentación profesional, en un sobre de papel, sigue siendo el método más valorado para un primer contacto.

Una paradoja en estos tiempos de bajo desempleo es que tendemos a pensar que si una compañía publica un aviso, probablemente seremos los únicos en presentarnos, que nos llamarán el lunes y comenzaremos a trabajar el martes. Pero es un supuesto completamente falso. Aun en épocas de bajo índice de desempleo, responderán entre 70 y 80 candidatos, un dato que revela que aunque la mayoría de la gente tiene trabajo, muchos de ellos siguen compitiendo en el mercado laboral; saben que hay mejores opciones y continúan buscando.

«HE ESTADO DESEMPLEADO DURANTE 18 MESES, ¿QUÉ PUEDO HACER?»

Si ha pasado un tiempo sin trabajar, preste atención a su autoestima.

«Las personas que no tienen empleo piensan que lo peor que les puede ocurrir es no encontrar un nuevo empleo –dice Richard Bolles, autor de *What Color Is Your Parachute?* [¿De qué color es tu paracaídas?] (Ed. Ten Speed Press, 2003). En realidad, la peor parte es la pérdida de autoestima. Uno comienza a pensar: "Hay algo en mí que está mal"».

Bolles explica que la persona debe buscar la manera de inyectar confianza y optimismo en su vida porque son componentes esenciales de toda búsqueda fructífera. Recomienda una rutina que incluya ejercicio físico, descanso y beber agua en abundancia.

Escriba siete experiencias de trabajo que haya disfrutado y describa las habilidades que usó en cada caso. Según Bolles, las personas que buscan trabajo suelen recurrir a uno o dos métodos de búsqueda: enviar 100 currículum por correo o publicar una copia en línea. Tal vez funcionaron bien en el pasado, pero han dejado de ser eficaces.

No restrinja su búsqueda a las empresas que tienen vacantes. Tenga en cuenta a las empresas en las que le gustaría trabajar, tengan o no vacantes. Comuníquese con ellos y hágales saber el aporte que usted puede hacer.

Haga trabajo voluntario o trabaje a la sombra de alguien que ocupa un cargo que a usted le gustaría tener. Comprométase en la iglesia y en clubes que trabajen para la comunidad. «Es preciso mantenerse activo cada día en lugar de sentarse a esperar que suceda algo», afirma Bolles.

En Chuck Salter, «All the Right Moves; Don't Lose Hope» [Haga los movimientos correctos; no pierda la esperanza], Revista *Fast Company*, julio de 2003.

CÓMO MANEJAR EL DESALIENTO EN LA BÚSQUEDA DE EMPLEO

No sería humano si no se desanimara al verse sin empleo. Gran parte de nuestro valor como personas y nuestra autoestima está ligada al trabajo; por consiguiente, es natural que nos encontremos ansiosos cuando estamos en transición o «entre oportunidades». Pero cada día puede decidir cómo vivirá el proceso: puede convencerse de que el futuro no tiene nada para usted, o puede creer que el futuro le tiene reservado algo mucho mejor. A menudo les digo a los clientes que la distancia que separa el pánico del júbilo y la esperanza de la desesperanza es una línea muy delgada. A continuación, incluyo una lista con diez sugerencias sobre cómo enfrentar la pérdida de empleo:

1. Escoja cuidadosamente algunos lugares donde pueda expresar con franqueza cómo se siente.
2. Aprenda más acerca del proceso de búsqueda de empleo.
3. Identifique qué cosas puede y qué cosas no puede manejar.
4. Viva plenamente cada día. Mire con nuevos ojos los logros que alcanzó en otras áreas diferentes del trabajo.
5. Haga algo por otra persona. Trabaje como voluntario en organizaciones o causas valiosas.
6. Construya su propio sistema de apoyo. Pida ayuda. No se esconda todo el día en la biblioteca evitando que sus vecinos se enteren que está buscando trabajo.
7. Haga algo creativo. A veces Joanne y yo armamos enormes rompecabezas. Tendrá más energía durante la búsqueda si dedica un tiempo a actividades recreativas.
8. Mantenga un buen ritmo de actividad física y una buena alimentación.
9. Mantenga la esperanza y el optimismo. Establezca metas diarias y semanales accesibles. Realice trabajos manuales que le permitan ver resultados inmediatamente.
10. Busque el significado más profundo de este proceso de transición.

ENTRE LA BÚSQUEDA Y LA DEPRESIÓN

La pérdida del empleo puede causar enojo, resentimiento, culpa y depresión. Hace muy poco estuve acompañando a un señor que, después de haber perdido el empleo, trató de recomponerse y salió a buscar trabajo, pero al cabo de unos pocos días sin resultados se sintió muy desanimado. Le ocultaba la verdad a su esposa y fingía estar buscando trabajo cuando en realidad pasaba el día en la biblioteca navegando por Internet y leyendo revistas. Se gratificaba comiendo comida chatarra y golosinas, y rápidamente aumentó cerca de 11 kilos (25 libras), a raíz de lo cual comenzó a sentirse mal por su sobrepeso y porque la ropa ya no le quedaba bien. «Odiaba mi trabajo, pero aún así estoy enojado por el despido», fue su explicación.

Esta historia se repite. Los nuevos estudios confirman que la pérdida de empleo eleva el riesgo de sufrir problemas físicos y emocionales. El desempleo puede ser el comienzo de un círculo vicioso de depresión, pérdida de disciplina personal y progresiva disminución de la salud emocional. «A causa de la depresión, la búsqueda puede hacerse mucho más larga», señala John Challenger, presidente de Challenger, Gray & Christmas.

Para romper el círculo, fortalezca las áreas donde puede experimentar el éxito en forma inmediata. Incremente el tiempo dedicado a la actividad física y experimente la satisfacción de una mayor vitalidad y de favorecer el pensamiento creativo. Aumente el tiempo dedicado a trabajo voluntario y se sentirá gratificado por haber tendido una mano solidaria. Aumente el tiempo dedicado a leer buenos materiales y a escuchar grabaciones que resulten inspiradoras, y verá cómo comienza a generar nuevas ideas. Haga cosas especiales para sus seres queridos y valore el respaldo y el aliento que le brindan.

Ninguna de estas cosas está directamente relacionada con la obtención de empleo y, sin embargo, todas guardan estrecha relación. Estas actividades le proporcionarán la firmeza, la confianza y el entusiasmo necesarios para hacer una buena presentación de sí mismo.

Durante este proceso, recuerde que todo lo que ocurra antes de la entrevista es preliminar. Nadie lo contratará a partir de un currículum, ni usted quiere que eso ocurra. El currículum y la búsqueda activa lo conducen a la entrevista, y será la entrevista la que lo conduzca al empleo.

El tiempo utilizado en una buena búsqueda de empleo es tiempo invertido en su futuro. No lo tome a la ligera. Una semana dedicada a investigar algunas compañías clave para ir a la entrevista mejor equipado de conocimientos podría significar una diferencia de miles de dólares en su ingreso en los próximos dos o tres años.

Aprenda a llevar a cabo este proceso de la mejor manera; tendrá que hacerlo nuevamente. *Tome conciencia de que usted debe asumir la responsabilidad por el éxito del proceso.* Nadie podrá hacerlo por usted; ni el gobierno ni el estado ni la iglesia o una agencia. Prepárese para poder manejar el rechazo y persistir en su intento, confiado en que el éxito está a «unos pocos contactos» de distancia.

*Para muchos de ustedes, la sección dedicada al proceso de búsqueda de
empleo será la información más importante que les aporte este libro.
Si comprenden y cumplen este proceso, pueden lograr cambios sustanciales
en los resultados, superando a otros candidatos que posean más títulos,
antecedentes y experiencia.*

SOÑADORES, SANADORES Y PACIFICADORES

A partir de la irrupción de la tecnología, es fácil suponer que
los mejores puestos de trabajo implican estar sentado frente a una
computadora. Pero ¿qué ocurre si no le gusta esta clase de
trabajo? ¿Debe considerarse perdido y sin opciones? En absoluto,
si sabe ver las nuevas necesidades que nacen de esta explosión
tecnológica. ¿Tiene idea de cómo se siente una persona que pasa
el día sentado frente a la pantalla de un monitor? En los últimos
seis años se cuadriplicó el número de masajistas profesionales. Las
escuelas necesitan una renovación total, el delito está presente en
todos los vecindarios y comunidades, y la atención de la salud, las
familias y las iglesias están llenas de problemas que requieren
nuevas soluciones. Seguramente la solución no llegará a través de
más información y más tecnología, sino a través del contacto
humano y la sensibilidad espiritual.

Se han abierto innumerables oportunidades para los
pacificadores, los sanadores y los soñadores. Al repasar la lista de
los 30 empleos de más rápido crecimiento en la próxima década,
vemos que 14 corresponden al área de sanidad. La necesidad de
consejeros y terapeutas crecerá significativamente conforme la
numerosa generación nacida durante la posguerra –los *baby
boomers*– va llegando a la segunda mitad de su vida, una etapa
de grandes cambios que también trae aparejado problemas de
depresión. En todo el mundo, la gente manifiesta mayor interés en
asuntos espirituales y, como consecuencia, surge la necesidad de
personas que dirijan actividades religiosas y educativas. Se cree
que en el correr de este año se crearán más de 100.000 puestos
entre clérigos y directores de programas religiosos. La necesidad de
hallar maneras más sencillas y humanas de resolver los conflictos
incrementará las oportunidades de trabajo en mediación y
arbitraje. Otro cambio que vemos es gente mayor que ha
alcanzado un nivel de educación más alto y dispone de mejores

ingresos, lo cual ha provocado que desde 1992 hasta la fecha el número de personas que va a conciertos, al teatro o a museos de arte haya aumentado del 41% al 51%. La proyección del Departamento de Trabajo es que la demanda de escritores, artistas y animadores crecerá un 24% durante los próximos 10 años y se creará un total de 772.000 puestos de trabajo en esos rubros.

¡No es necesario ser un genio de la tecnología para triunfar!

CUENTA REGRESIVA HASTA LLEGAR AL TRABAJO QUE LE GUSTA

1. ¿Hay mercados laborales más seguros que otros?
2. ¿Cuáles son los mejores lugares para buscar nuevas oportunidades de empleo en el mercado laboral presente?
3. ¿Cuáles considera que fueron los errores que cometió en sus búsquedas de empleo pasadas?
4. ¿Cómo se siente ante la idea de promocionarse a sí mismo?
5. ¿Cómo sabe cuándo debe cambiar de empleo o de carrera?
6. Como trabajadores de esta hora y este tiempo, ¿cómo debemos aplicar los principios enunciados en Colosenses 3:23-24?

¿Les caigo bien? ¿Me caen bien?

Al menos he aprendido esto a partir de mi propia experiencia: que si uno avanza confiado en la dirección de sus sueños, y se esfuerza por vivir la vida que ha imaginado, se encontrará con un éxito inesperado en cualquier momento. Dejará atrás algunas cosas, cruzará una frontera invisible; nuevas leyes universales, más liberales, comenzarán a regir a su alrededor y en su interior, o las antiguas leyes se expandirán y serán interpretadas a su favor con un sentido más liberal, y vivirá con la libertad de un orden de seres superiores... Si ha construido castillos en el aire, su trabajo no ha sido en vano; allí es donde deben estar. Ahora coloque los cimientos debajo de ellos.

—Henry David Thoreau

Los puestos de trabajo se consiguen a través de las entrevistas; sin embargo, muchas personas que buscan empleo no logran desarrollar las habilidades necesarias para enfrentarlas. Las entrevistas se consideran un mal necesario y se las enfrenta con una gran carga de ansiedad y aprensión.

Pero los cambios son inevitables y la seguridad en el ámbito laboral es historia; por lo tanto, parece lógico concentrarse en la adquisición de destrezas para la entrevista con el fin de facilitar los cambios tanto como sea posible. La conducción de una entrevista es un arte y requiere estudio, preparación y práctica. Su habilidad para manejarla bien redundará en satisfacción laboral y mejor remuneración.

Dicho con toda claridad, una persona que no tiene un buen desempeño durante la entrevista no conseguirá el empleo. Puede tener un currículum y títulos y antecedentes excepcionales, pero si no logra presentarse en forma satisfactoria durante la entrevista, no obtendrá el empleo. Si no logra mostrarse confiado en sí mismo y proyectar una imagen profesional, toda su preparación habrá sido en vano. *Debe adquirir y practicar destrezas para cuando llegue ese momento.*

Recuerde que durante el proceso de búsqueda de empleo, usted debe hacer marketing de sí mismo. Si no se siente a gusto con las técnicas de venta, deberá prepararse para este proceso. Debe conocer bien el producto, creer en él y mostrar entusiasmo.

Contrario a lo que mucha gente cree, la entrevista no es un interrogatorio ni una indagatoria. La palabra *entrevista* deriva de una palabra latina que significa «ver uno acerca del otro». Es importante tener presente esta definición en el momento en que se realice porque nos recuerda que es un mutuo intercambio de información. Este intercambio no sólo le ofrece al empleador la posibilidad de evaluar sus habilidades y decidir si reúne las condiciones para el puesto, sino que también le brinda a usted la posibilidad de evaluar la empresa y la oferta de empleo con el fin de decidir si responden a *sus* necesidades y reúnen las condiciones que *usted* espera.

No vea la entrevista como un proceso unilateral. Si pone en práctica una estrategia de búsqueda bien planificada, tendrá varias entrevistas que resultarán en dos o tres ofertas de empleo. Este paso debe ser una instancia para recabar información, tanto para usted como para el entrevistador. La clave del éxito está en prepararse, saber qué se espera y practicar. Sí, la práctica es un ingrediente recomendable. La mayoría de nosotros no participa en entrevistas con suficiente frecuencia como para alcanzar un alto grado de competencia. No obstante, como se sabe que tener un buen desempeño durante ese momento cúlmine redunda en satisfacción e ingresos, sería una sabia decisión entrenarse, tal como lo haría para mejorar en golf o tenis.

Preparación más preparación

La preparación es el factor más importante para asegurar una entrevista fructífera. Su preparación comprende *dos componentes básicos: conocerse a sí mismo y conocer la empresa.*

Conocerse a sí mismo

El proceso de autoevaluación es un elemento clave para hacer una buena presentación de sí mismo y obtener un empleo con sentido que le permita realizarse como persona. Debe conocer perfectamente sus (1) habilidades y capacidades, (2) inclinaciones personales, y (3) valores, sueños y pasiones.

Sólo si logra conocer a fondo estas áreas, estará preparado para llevar a cabo una búsqueda focalizada y bien dirigida. Su objetivo es conseguir empleo; sin embargo, debe asegurarse de que lo que ese empleo y el entorno relacionado con él exigen, coincide con sus expectativas, habilidades e intereses.

Debe prepararse para responder las siguientes preguntas durante la entrevista (más adelante, incluiré más preguntas, pero estas cinco son fundamentales en términos de conocerse a sí mismo):

Hábleme un poco acerca de usted. Ésta es una pregunta estándar en casi todas las entrevistas. En cierto sentido, podríamos decir que es la pregunta más importante de la entrevista, y *debe* preparar la respuesta con anticipación. El entrevistador espera que usted tenga una respuesta pensada, y si no la tiene, dará la impresión de no estar bien preparado y la entrevista no tendrá un buen comienzo.

Ésta es su oportunidad de «venderse». Dígale al entrevistador aquello que quiere que él recuerde de usted. Puede hacer referencia a alguna información que desarrollará durante otro momento de la charla.

El entrevistador inmediatamente se dará cuenta si usted se ha preparado y sabe de qué está hablando o si es uno más que divaga sobre generalidades con la esperanza de aterrizar en algún puesto de trabajo.

Recuerde que su respuesta a cualquier pregunta no debe extenderse más de *dos minutos.* En el caso de esta pregunta en particular, podría dedicar quince segundos a su formación personal, un minuto para resumir lo más destacado de su carrera, un par de segundos a su principal logro profesional y, finalmente, concluir explicando por qué busca una nueva oportunidad laboral.

Hágase esta pregunta: «¿Qué puedo aportarle a esta empresa?», y deje que ella guíe su respuesta. Sea cual fuere el contenido de ésta, debe escribirla en papel y practicarla varias veces hasta que pueda expresarla de manera concisa. Pídale a un amigo o a su esposo o esposa que lo escuchen y hagan la crítica correspondiente.

¿Cuáles cree que son sus tres principales fortalezas? Si usted no es capaz de identificar y describir con claridad sus fortalezas, ¿cómo espera que las descubra el entrevistador durante el breve tiempo que dura la entrevista?

Mencione algún punto débil en su formación y dígame qué ha hecho para superarse. No finja ignorancia ni trate de decir modestamente que es perfecto. Vaya preparado para hablar sobre algo que siempre le haya resultado difícil, pero explique con tono positivo lo que ha hecho para mejorar.

¿Qué cualidades o formación posee que lo hacen apto para este empleo? Por supuesto, debe hacer averiguaciones acerca de la compañía y el puesto de trabajo antes de la entrevista, de lo contrario no estará en condiciones de responder la pregunta. Respecto de sus habilidades y competencias, deben haber quedado claramente identificadas durante el proceso de autoevaluación.

¿Cuáles son sus metas a corto y a largo plazo? Hable sobre sus metas personales, además de las metas laborales. Hoy, las empresas buscan personas con intereses variados y equilibrados, que no se limiten exclusivamente al trabajo. Siéntase libre de compartir estas otras metas. Hable sobre la oportunidad de ascender en la empresa si es eso lo que desea, pero no diga que le gustaría ser presidente.

CONOCER LA EMPRESA

Es fundamental que conozca la empresa u organización, sus productos o servicios, su prestigio en la comunidad y las personas que ocupan puestos clave. Asimismo, debe obtener información acerca del crecimiento anual de la empresa, las ventas anuales, el número de empleados, dónde se encuentra la casa central y cambios importantes que se hayan producido, tales como fusiones o la compra de otras compañías, y las tendencias de la industria. Todo lo que sepa sobre la empresa le permitirá formular mejores preguntas y muy posiblemente inclinará la balanza a su favor durante la entrevista.

A continuación encontrará algunas fuentes donde puede obtener información:

- Informes anuales (en las grandes empresas están a disposición de quien lo solicite).
- Periódicos especializados en economía y finanzas.
- Revistas de la industria.
- Guía de empresas de la ciudad (es posible conseguirla en muchas ciudades importantes. Incluyen: tamaño de la empresa, año de inicio de actividades, número de empleados y personas de contacto).
- Publicaciones de la Cámara de Comercio.
- Publicaciones de la Cámara de la Industria.
- Empleados que actualmente trabajan en la empresa (una valiosa fuente de información).

La mayoría de estos materiales se encuentra en las bibliotecas públicas y en Internet.

....

▶FALLAS Y ERRORES EN UNA ENTREVISTA

Nunca deja de sorprenderme lo que la gente puede llegar a hacer durante las entrevistas.

Una empresa internacional de selección de personal, OfficeTeam, contrató una firma independiente para que realizara una encuesta entre ejecutivos encargados de contratar personal en 1000 de las principales empresas de los Estados Unidos. Una de las preguntas fue: ¿Qué es lo más extraño que haya dicho o hecho un candidato durante una entrevista de empleo? He aquí algunas de las respuestas más memorables:

- Después de responder las primeras preguntas, el candidato tomó su teléfono celular y llamó a sus padres para decirles que la entrevista iba bien.
- La persona se puso de pie a los pocos minutos de iniciada la entrevista y dijo que había dejado el perro en el automóvil y que debía cerciorarse de que estuviera bien.
- Al preguntarle por qué deseaba trabajar para la empresa, la candidata respondió: «Buena pregunta. Sinceramente no lo había pensado».
- Ante la pregunta sobre qué haría para aumentar las ventas en caso de que lo contrataran, el candidato respondió, «Tendré que pensarlo y luego me comunicaré con usted». Seguidamente, se levantó, salió de la oficina y jamás regresó.
- El gerente de personal le preguntó por qué quería dejar su actual empleo, y el candidato respondió: «El gerente es un imbécil. Los gerentes son todos imbéciles».
- Cuando el entrevistador le preguntó a la candidata cuál era su sueldo en ese momento, ella respondió: «No entiendo por qué lo pregunta; no creo que sea de su incumbencia».
- Después que el entrevistador lo felicitara por la Universidad que había escogido y el promedio de calificaciones de la escuela secundaria, el candidato respondió: «Me alegro de que lo haya notado. En realidad, no estudié allí».
- El candidato solicitó tener la entrevista temprano a la mañana. Llegó con una caja de donas que fue comiendo a lo largo de la charla porque, según explicó, ésa era su única oportunidad de desayunar antes de ir a trabajar.
- Cuando el gerente de Personal le preguntó qué objetivos se había propuesto en su carrera, el candidato respondió: «Trabajar el menor tiempo posible hasta que consiga este empleo».

No creo necesario aclarar que ninguno de estos candidatos obtuvo el empleo. Según la directora ejecutiva de OfficeTeam, la moraleja es: «Piense antes de hablar. Lo primero que le viene a la mente puede no ser lo más apropiado para compartir con el gerente de Personal que lo va a contratar». Muy cierto.

ALGUNOS ASPECTOS MÁS COMPLEJOS DE LA ENTREVISTA

LA PRIMERA IMPRESIÓN

Diez segundos después de haber entrado a la oficina, aun antes de haber tomado asiento, pudo haber obtenido o perdido el empleo. Aunque gentilmente le hayan concedido una hora para que responda preguntas y hable de sus logros, los estudios muestran que el entrevistador se forma una fuerte impresión, negativa o positiva, del candidato, en un lapso de segundos desde el momento en que lo saluda. En un estudio realizado por una Universidad, el entrevistador debía indicar en qué momento había tomado la decisión pulsando el botón de un cronómetro. Todos los entrevistadores pulsaron el cronómetro en un lapso de diez segundos. Esto revela que no es la información en letra pequeña en la cuarta página del currículum sino otros factores lo que se prioriza en el momento de decidir la contratación.

Después de esa primera decisión, el entrevistador tiende a reunir información que la respalde. Durante los primeros minutos de la entrevista, el empleador se pregunta «¿Me cae bien? ¿Parece confiable? ¿Será agradable trabajar con él?» No es algo explícito, pero es un objetivo fundamental de la entrevista, mucho más que la pregunta «¿Tiene una maestría en mercadotecnia?»

Le sugiero tener en cuenta estos puntos para contribuir a crear una impresión positiva:

- El entrevistador fijará la hora y el lugar de la entrevista. Si le permiten escoger la hora, evite los lunes a la mañana y los viernes a la tarde. Prefiera el horario de la mañana. Según las investigaciones, el 83% de los ejecutivos muestra una tendencia a favorecer la contratación de los candidatos de la mañana. Además, el 70% de las decisiones relativas a la contratación se toma antes de las once de la mañana. Si tiene oportunidad de sugerir la hora, asegúrese de que sea antes de las once. Las citas de la tarde deben llevarse a cabo hasta una hora antes de la hora de cierre en una jornada normal de trabajo. Los lunes la gente suele tener mucho trabajo y los viernes está pensando en el fin de semana y deseando salir de la oficina. En conclusión, los mejores días para la entrevista son martes, miércoles y jueves entre las ocho y las diez de la mañana.
- Confirme el lugar y la hora exactos en que tendrá lugar la entrevista.
- Sea puntual; llegue entre cinco y quince minutos antes de la hora fijada. No vaya demasiado temprano, pero llegue con tiempo suficiente

como para observar el lugar y decidir si le gustaría trabajar allí (incomodará al entrevistador si llega demasiado temprano y también si llega tarde; no haga ni lo uno ni lo otro.) Llegar demasiado temprano muestra excesiva ansiedad; llegar tarde es una falta de consideración hacia el entrevistador. Lo único sensato es presentarse puntualmente para la entrevista pero llegar temprano al lugar. Eso le dará tiempo de ir al baño y, si fuera necesario, hacer algún retoque a su apariencia. Tómese unos minutos para relajarse y prepararse mentalmente para la entrevista.

• Averigüe el nombre y el cargo del entrevistador. No lo llame por su nombre de pila a menos que la persona se lo pida.

CINCO ERRORES FATALES EN UNA ENTREVISTA

No piense que la entrevista es una mera formalidad; considérelo el comienzo del proceso de venta. Su currículum le permitió llegar a la entrevista; ahora tiene la oportunidad de hacer que realmente se interesen por usted y le ofrezcan el puesto. Evite cometer alguno de los siguientes errores:

Falta de entusiasmo: no es necesario ser un orador como Zig Ziglar o un animador como David Letterman, pero debe mostrar entusiasmo por el empleo si no desea que lo descarten de inmediato. El entusiasmo, la audacia y la confianza que transmita durante la entrevista le reportarán más beneficios que un título universitario.

¿Y qué me ofrecen ustedes a mí?: sabemos que necesita información acerca de los beneficios, vacaciones, etc., pero no comience con estas preguntas. Primero, el empleador querrá saber qué puede hacer usted por la empresa. No puede negociar más días de vacaciones hasta que le hayan ofrecido el puesto. Debe convencer al empleador de que usted es la persona indicada para el puesto, luego confirme que verdaderamente desea trabajar allí, y recién entonces estará en condiciones de discutir salario y beneficios.

Objetivos poco claros: evite las generalidades; exprese con claridad qué clase de empleo está buscando. Si el entrevistador percibe que sólo busca un empleo en lugar de una oportunidad real de desarrollar sus capacidades, usted mismo habrá saboteado sus posibilidades de conseguir el puesto. Debe estar en condiciones de describir con total seguridad tres características que lo hacen un excelente candidato para el empleo que está solicitando.

Apariencia personal descuidada: aquí lo fundamental es estar en consonancia con el estilo de la organización con la que ha iniciado el contacto. Está en todo su derecho de usar una gorra de béisbol y jeans recortados, pero si realmente desea obtener empleo, debe usar la ropa adecuada. Muchas veces he escuchado a personas quejarse porque no les han dado empleo, pero no reparan en que tienen un aro en la nariz, mal aliento y olvidaron limpiar su calzado. Tenga siempre presente que las organizaciones contratan personas, no títulos y antecedentes. Si no les cae bien, no obtendrá el empleo aunque posea una fantástica experiencia.

No estar dispuesto a venderse a sí mismo: aunque no le guste vender aspiradoras puerta a puerta, debe aceptar que durante la entrevista debe venderse. Particularmente en el mercado laboral presente, es necesario promocionarse. Inmediatamente después de la entrevista, hágase presente a través de una nota de agradecimiento y llame por teléfono tres o cuatro días más tarde. Es una buena manera de confirmar su interés en el puesto y, además, puede hacer una o dos preguntas que tal vez olvidó durante la entrevista.

VESTIMENTA, ETIQUETA Y LENGUAJE CORPORAL

Hemos dejado en claro que el entrevistador decide si usted le cae bien a los pocos minutos de iniciada la entrevista. Si bien algunos motivos pueden ser sutiles e intangibles, es posible tener bajo control algunos elementos más visibles para que no se vuelvan en su contra. La impresión que desea darle al entrevistador guarda directa relación con su manera de vestir y de conducirse. Por consiguiente, una vestimenta adecuada, los modales y el comportamiento, son variables importantes.

Vestimenta apropiada

Sólo hay una manera de vestirse en forma correcta para la primera entrevista: con pulcritud y sobriedad. Tal vez piense que no es ésa la imagen que tiene de sí mismo, y por supuesto tiene todo el derecho de vestirse de otra manera, pero no es éste el momento de hacer declaraciones sobre sus derechos. No deja de sorprenderme la cantidad de personas que echan a perder la oportunidad de que las contraten sólo por no hacer el esfuerzo de causar una buena primera impresión. *Su tarea es entender de qué manera lo ven los demás.*

- Luzca un corte de pelo prolijo.
- Tome un baño o una ducha tan cerca del horario de la entrevista como le sea posible. Use desodorante pero no loción para después de afeitarse o perfume; su objetivo no es cortejar sino lograr que lo contraten.
- Sea sobrio en el uso de joyas o *bijouterie*. No debe dar impresión de ostentación o extravagancia.
- Cuide que su calzado esté limpio y prolijo. Evite llevar un cinturón gastado, el cuello raído o los bolsillos estirados.
- Lleve una pastilla de menta si tiene feo gusto en la boca. Si fuma, siempre debe llevar pastillas de menta. Recuerde que el olor del cigarrillo impregna la ropa y el cabello. Un olor penetrante puede resultar irritante para su potencial empleador.

Etiqueta

Trate de contribuir a que la entrevista sea lo más agradable posible. Siéntese erguido en la silla, muéstrese relajado y no se mueva constantemente. Hable con un tono de voz firme y moderado. Establezca contacto visual con el entrevistador. Pocas cosas atentarán más rápidamente contra sus esfuerzos que la imposibilidad de mantener contacto visual. Esto siempre transmite falta de sinceridad y genera sospecha. Por supuesto, evite comentarios irreverentes o subidos de tono, y evite también vulgarismos o expresiones coloquiales de moda. En la televisión pueden resultar simpáticas, pero no se las considera apropiadas para un profesional en el mundo real.

Lenguaje corporal

Piense en positivo. Antes de la entrevista, concéntrese en poner su mente en positivo y asegúrese de que su lenguaje corporal refleje esa misma actitud. Mantenga la cabeza y los hombros en alto y el cuerpo erguido. Esta postura envía un mensaje positivo y transmite energía y entusiasmo. Conecte su energía con la energía de la persona que lo está entrevistando. Es correcto sentirse confiado y hablar con voz fuerte. No hay inconveniente en que su lenguaje corporal transmita fuerza y energía. No se muestre condescendiente ni intimidatorio, pero siéntase seguro y confiado.

▶SIMPLEMENTE SONRÍA

Un viejo proverbio chino dice algo así: «Un hombre que no tiene un rostro sonriente no debe abrir un comercio». Hace poco almorcé en un nuevo restaurante en Franklin, Tennessee. Nadie me saludó ni sonrió cuando entré ni durante el tiempo que permanecí allí. Hay otro restaurante, con un menú muy similar, que lleva tiempo trabajando, y donde me saludan con entusiasmo cada vez que llego. Seguramente imaginan adónde iré a comer la próxima vez...

El mismo fenómeno ocurre con los entrevistadores. En una encuesta realizada a 5000 gerentes de recursos humanos, se les hizo la siguiente pregunta: ¿Qué cualidad considera más importante en un candidato? De las 2.756 respuestas recibidas, 2.322 colocaron el entusiasmo en el primer lugar. Lo primero que buscan los entrevistadores es vitalidad y entusiasmo. Muchos candidatos con la capacidad y los antecedentes necesarios se descalifican ellos mismos porque su comportamiento sugiere que carecen de energía.

Sonreír es la manera más fácil de transmitir energía y entusiasmo. Ésta es una sugerencia que puede implementar hoy mismo. No tiene que esperar para conseguirla, no es necesario pagar el alto costo de una carrera universitaria, no tiene que comprar un traje nuevo... Simplemente, sonría.

En su libro breve pero memorable *The Magic of Thinking Big* [La magia de pensar en grande], David Schwartz desafía al lector proponiéndole esta prueba: «Intente sentirse derrotado y, al mismo tiempo, sonreír con una amplia sonrisa. No se puede. Una sonrisa amplia le da confianza; una sonrisa amplia vence el temor, aleja la preocupación y derrota el desánimo». Suena como la preparación ideal para su próxima entrevista.

El lenguaje corporal representa el 55% del proceso de comunicación.

Se puede favorecer o dificultar la comunicación si uno se ubica demasiado cerca o demasiado lejos, si se muestra excesivamente animado o muy frío.

Practique el apretón de manos. Un apretón de manos débil es señal de una personalidad débil. Extienda la mano abierta de manera que las palmas estén en contacto. No ofrezca sólo los dedos ni tome sólo los dedos de la otra persona.

Siéntese con comodidad en la silla, pero no se relaje demasiado ni pierda la compostura. Siéntese erguido y ligeramente inclinado hacia delante. Esta postura denota interés y energía. Cuando se entusiasme con algo que está relatando, inclínese hacia delante. Cuando quiera mostrarse entendido y seguro, échese hacia atrás; esa postura muestra que conoce bien el tema. Apoye los brazos sobre las piernas o en el apoya brazos del sillón. No se cruce de brazos; universalmente se lo sigue considerando un gesto que indica encierro o retraimiento.

No se cubra la boca con las manos; es un gesto que da sensación de engaño, parece que está tratando de ocultar la verdad. Evite repetir los mismos gestos; evite señalar y realizar movimientos excesivos.

El tono de voz representa el 38% del proceso de comunicación.

Abusar de los cambios en el tono de voz o hablar en voz muy alta o muy baja puede abrir o cerrar las puertas de la comunicación.

Tome conciencia de sus hábitos personales (hace poco entrevisté a una clienta cuya risa resultaba muy molesta porque emitía un sonido aspirado, y lo repetía cada treinta segundos aproximadamente. Cuando se lo comenté se mostró muy sorprendida, y realmente no había tenido conciencia del efecto que producía hasta ese momento).

Las palabras sólo representan el 7% del proceso de comunicación.

Las palabras adecuadas transmitirán el mensaje de manera eficaz, pero sólo si están acompañadas del lenguaje corporal y el tono de voz apropiados.

El silencio no debe incomodarlo. Un entrevistador experimentado puede crear un momento de silencio adrede para ver cómo responde el candidato. Aproveche el momento de silencio para ensayar lo que podría ofrecer o lo que podría preguntar.

Evite el uso de muletillas u otras expresiones de relleno. En una oportunidad, fui consejero de un viajante que estaba convencido de que una técnica eficaz de venta consistía en tener el control de la conversación. Sin decirle nada, conté que había dicho «básicamente» 19 veces en un lapso de 3 minutos. Había caído en el hábito de usar esta palabra como relleno cada vez que su mente quedaba en blanco por un instante. Confíe en mi consejo: es preferible el silencio antes que recurrir a las odiosas palabras de relleno.

EL DESARROLLO DE LA ENTREVISTA

Estas seis reglas generales lo ayudarán durante la entrevista.

Sonría. Pocas cosas transmiten tanta cordialidad, entusiasmo y sensación de bienestar como una sonrisa. La gente exitosa sonríe mucho. La persona que frunce el ceño no se ve como un profesional feliz y productivo.

Muéstrese amable y expresivo. No trate de manejar la entrevista, pero responda las preguntas de manera espontánea y distendida.

Muestre confianza en sí mismo. El movimiento constante, el nerviosismo, mirar hacia abajo, la incapacidad de aceptar elogios y expresiones de desaprobación o menosprecio por sus logros o cualidades son todas señales de falta de confianza en sí mismo.

No critique a sus antiguos empleadores o compañeros de trabajo. Piense en motivos positivos que lo hayan impulsado a dejar su empleo anterior.

Demuestre un interés genuino por la empresa y el entrevistador. Recuerde que su tarea es *venderse* al entrevistador, no sólo convencerlo de que usted es el mejor candidato para ese puesto.

Conozca su currículum a fondo. Debe estar preparado para extenderse sobre algunos puntos. Recuerde que usted *se está vendiendo* durante la entrevista. Los vendedores eficientes conocen el producto, realizan investigaciones para determinar las necesidades de los clientes y luego usan ese conocimiento para vender el producto. Durante la entrevista, el empleador o la compañía cumplen el rol de clientes y usted asume el rol de viajante o vendedor. Un producto no se vende por sí solo, y otro tanto ocurre con los candidatos.

Nota: quizás esta manera de encarar la entrevista le parezca muy anticuada: vestimenta sobria, postura, no mascar chicle, etc. ¡Y lo es! Se está viendo una vuelta a éstos y otros valores tradicionales. Muchas compañías han puesto fin «al tiempo de la informalidad» y están promoviendo una imagen mucho más profesional. La informalidad de estos últimos años ha tenido un efecto negativo en términos de la confianza del cliente. Por consiguiente, un estilo más bien clásico puede inclinar la balanza a su favor durante la entrevista.

ROMPER EL HIELO

Tal vez el entrevistador dará comienzo a la entrevista hablando de algo cotidiano e intrascendente. Con frecuencia tomará algún dato de su currículum para iniciar la conversación. Deportes, el clima o uno de sus pasatiempos son temas que se prestan para iniciar el diálogo. El propósito de este momento es ayudarlo a sentirse relajado y a crear una atmósfera distendida para que usted pueda hablar de sí mismo libre y espontáneamente. Recuerde, sin embargo, que lo estarán evaluando desde el primer instante, aun cuando no esté hablando sobre temas estrictamente laborales.

PREGUNTAS Y RESPUESTAS

El momento de las preguntas y respuestas generalmente ocupa un 75% de la entrevista. Le pedirán que repase su preparación y experiencia según consta en su currículum vítae (recuerde que toda la información incluida en el currículum puede ser objeto de análisis y averiguaciones, y debe estar preparado para discutirlo. Por este motivo, es importante que incluya en su currículum *únicamente* aquellos datos que lo ayuden a conseguir el puesto de trabajo que desea.) Después de preguntarle acerca de su preparación y aptitudes, el entrevistador le dará información sobre la empresa. Luego, idealmente, le darán la oportunidad de formular preguntas. Es fundamental que tenga cuatro o cinco preguntas preparadas. Probablemente, las preguntas que haga causen una impresión más fuerte que las respuestas que le dio al entrevistador.

Preguntas que suele formular un entrevistador

A continuación, encontrará algunos ejemplos de preguntas que se hacen durante las entrevistas. Respóndalas por escrito; no basta pensar las respuestas si desea estar bien preparado para el momento de la entrevista. Si escribe las respuestas, le resultará más fácil responder éstas u otras preguntas similares que le formule el entrevistador. No considere que la entrevista es una mera formalidad porque, de todos modos, el entrevistador ya leyó su excepcional currículum: *la entrevista es la instancia más importante de todo el proceso.* Prepare respuestas de uno a dos minutos de duración para cada pregunta. Si toma más tiempo, el entrevistador puede tener la impresión de que está tratando de manejar la entrevista.

1. Hábleme un poco acerca de usted.
2. ¿Cuáles cree que son sus principales fortalezas? ¿Puede mencionar tres cualidades que lo harían un buen candidato para este puesto?
3. Si le pidiéramos a su antiguo empleador que enumerara sus principales fortalezas, ¿qué cree que diría?
4. ¿Qué cosas lo motivan a dar lo mejor de sí?
5. ¿Cuáles han sido algunos de sus logros más significativos? ¿Cómo llegó a ellos?
6. ¿Cuál ha sido su aporte en términos de aumentar las ventas, las ganancias, la eficiencia, etc.?
7. ¿Qué clase de situaciones lo frustran? ¿Cuáles son sus puntos débiles? ¿Qué cosas ha intentado hacer pero fracasó?

8. ¿Qué espera encontrar en este nuevo trabajo? ¿Por qué desea este empleo? ¿Qué cosas le atraen de este nuevo empleo?

9. ¿Por qué decidió dejar su empleo anterior?

10. ¿Qué cambios o tendencias importantes ve en esta industria? ¿De qué manera cree que esos cambios afectarán el éxito que la empresa pueda alcanzar?

11. ¿Cuánto tiempo necesitaría para llegar a hacer una contribución significativa en nuestra empresa? ¿En qué áreas necesita capacitarse más? ¿Cree que podría estar sobrecalificado o ser demasiado experimentado para este puesto?

12. ¿Qué espera de un supervisor? Describa cómo cree que debería ser la relación entre el supervisor y un empleado. ¿Cuál considera que será su tarea más difícil como gerente? ¿Cómo describiría su estilo de gerencia?

13. ¿Prefiere trabajar solo o formar parte de un equipo? ¿Tiene más aptitud para trabajar con objetos, con personas o con ideas? ¿Se desempeña mejor en el área de la creación o de la acción?

14. Describa un ambiente de trabajo ideal. En su último empleo, ¿qué fue lo que más disfrutó? ¿Y lo que menos le gustó?

15. En su lista de prioridades, ¿qué lugar ocupa el trabajo? Fuera del trabajo, ¿qué actividades disfruta? ¿Qué revistas lee? Mencione tres libros que haya leído en el último año. ¿Siente que está alcanzando las metas personales que se había propuesto?

16. ¿Dónde le gustaría estar dentro de cinco años? ¿Qué salario aspira a tener dentro de cinco años? ¿Continúa estudiando? ¿Qué hace para mantenerse informado sobre los cambios en esta industria?

17. ¿Cuánto tiempo considera que una persona debe permanecer en el mismo puesto?

18. ¿Qué hace habitualmente durante los fines de semana? ¿Qué hace para combatir el aburrimiento?

19. ¿En qué otros empleos se ha interesado? Si no fuera seleccionado para este puesto, le interesaría trabajar en otra sección (en ventas, en la administración, etc.) en esta empresa? ¿Qué ventajas ve en este empleo comparado con otros empleos a los que se haya postulado? ¿En qué se diferencia este nuevo empleo de su empleo anterior?

20. ¿Por qué cree que deberíamos contratarlo para ocupar este puesto? ¿Qué puede aportar usted que lo distingue de otros postulantes?

21. ¿Desea hacer alguna pregunta? (un buen entrevistador le brindará esta oportunidad).

Asegúrese de tener cuatro o cinco preguntas preparadas. Aunque el entrevistador le haya dicho todo lo que deseaba saber, no deje de plantear algunas preguntas para dar muestras de interés y de estar bien informado.

▶ ¿HA SIDO SIEMPRE OBESO?

El dueño de una agencia de viajes en Londres quería instalar una cantina para sus empleados. Escribió un anuncio que decía: «Se necesita una persona de trato amigable que sepa preparar buenos sandwiches y diferentes clases de sopa para un equipo que merece almuerzos sencillos pero especiales».

El centro de empleo local se negó a publicar el aviso, y al dueño de la agencia le informaron que no se podía incluir «de trato amigable» porque eso «implicaría discriminar a los postulantes que no tienen la suerte de tener ese tipo de personalidad».

Sabemos que el 85% del éxito de una persona en su lugar de trabajo se debe a sus aptitudes personales, y sólo un 15% a su aptitud técnica. El entrevistador siempre presta atención a sus características personales, aunque deba dominar el impulso de hacerle algunas preguntas personales que le gustaría. Veamos algunas preguntas delicadas que podrían tomarlo por sorpresa.

¿Cuándo consumió sustancias ilegales por última vez? En los Estados Unidos, un empleador puede preguntarle a los postulantes sobre su consumo presente o pasado de sustancias ilegales, y una persona que consume drogas ilegales no está protegido por la Ley para Personas con Discapacidad. Por ejemplo, un empleador puede preguntarle a un postulante: «¿Consume drogas ilegales actualmente? ¿Alguna vez ha consumido sustancias ilegales? ¿Qué sustancias ilegales ha consumido en los últimos seis meses?»

¿Qué edad tiene? Esta pregunta es ilegal. Sin embargo, es legal preguntar «¿En qué año egresó de la escuela secundaria?» Un sencillo cálculo le permitirá al empleador obtener la información deseada.

¿Qué planes familiares tiene? Éste es otro ejemplo de pregunta ilegal. Pero pueden preguntarle: «¿Cómo imagina su vida dentro de cinco años?»

¿En qué iglesia se congrega? ¿Qué religión profesa? No hay ningún motivo laboral que justifique preguntar sobre las creencias

religiosas, excepto en el caso de instituciones religiosas, y en ese caso el empleador puede darle preferencia a las personas de esa religión.

¿Cuánto mide? ¿Cuánto pesa? En los Estados Unidos, los tribunales y la Comisión para la Igualdad de Oportunidades de Empleo han dictaminado que es ilegal exigir un peso y una altura mínimos si por este medio se descalifica a un número desproporcionado de mujeres o de personas pertenecientes a minorías étnicas, y si el empleador no puede demostrar que dichos estándares son fundamentales para la seguridad en el desempeño de las tareas requeridas.

Las únicas cinco preguntas que verdaderamente importan

En su libro *What Color Is Your Parachute?* [¿De qué color es su paracaídas?], el autor Richard Bolles dice que en realidad hay sólo cinco preguntas clave que verdaderamente le interesan al empleador:

1. ¿Por qué vino?
2. ¿Qué puede hacer por nosotros?
3. ¿Qué clase de persona es usted?
4. ¿Qué lo diferencia de los otros 19 postulantes que pueden realizar las mismas tareas que usted?
5. ¿Tengo recursos para contratarlo?

Preguntas inusuales en las entrevistas

Las empresas han vuelto a implementar una modalidad de entrevista que les permita ver a la persona de forma integral, y como consecuencia de ello algunas preguntas pueden parecerle algo extrañas. El objetivo puede ser descubrir a qué cosas le atribuye valor, cómo piensa o simplemente ver cómo reacciona ante una pregunta para la que no hay respuesta clara y categórica.

1. ¿Cuál es el error más grande que ha cometido en su carrera hasta el presente?
2. ¿A qué otra entrevista se ha presentado, y qué tan cerca está de aceptar una oferta?
3. ¿Cuál es el último libro que leyó?
4. ¿Por qué son redondas las tapas de las alcantarillas?
5. Si usted estuviera parado junto a un rascacielos y le diéramos un barómetro, ¿cómo podría calcular la altura del edificio?

6. Si tuviera su propia compañía, ¿qué produciría?

7. Tiene dos recipientes: uno con una capacidad de cinco litros y el otro de tres litros. Dispone de toda el agua que necesite. Su tarea es cargar exactamente cuatro litros en el recipiente de cinco litros.

8. Al levantarse una mañana se da cuenta de que hay un apagón. Sabe que tiene doce medias negras y ocho azules. ¿Cuántas medias debe sacar antes de obtener un par que combine?

9. ¿Cuántas peluquerías para hombres hay en Chicago?

10. ¿Cuántos cubos hay en el centro del cubo de Rubik?

No olvide que la empresa, sea cual fuere, está interesada en contratar a la persona integral y no solamente sus aptitudes técnicas, administrativas, informáticas o como representante de ventas.

Preguntas que puede formular el entrevistado

En el mercado laboral actual no alcanza con mostrarse competente al responder las preguntas del entrevistador; es altamente aconsejable preparar cuatro o cinco preguntas para plantearle al entrevistador cuando le den la oportunidad. *Las personas que hacen preguntas dan la impresión de ser más inteligentes y tener mayor interés y conocimientos.*

1. ¿Cuál sería mi rutina de trabajo en un día normal?

2. ¿Qué exigencias tiene este puesto en términos de viajes, en caso de que implique viajar?

3. ¿Qué carrera ofrece la empresa a partir de este puesto? ¿Cuál sería una expectativa de ascenso realista en términos de tiempo?

4. ¿En qué sector o departamento de la empresa hay mejores oportunidades de crecimiento?

5. ¿Qué criterios usan para evaluar y promover al personal?

6. ¿Qué tipo de capacitación ofrece la empresa?

7. ¿Qué programas de desarrollo profesional ofrece la empresa para que los empleados perfeccionen su formación?

8. Si ocupara este puesto, ¿ante quién deberé presentarme y dar informes? ¿Qué estilo de conducción tiene esa persona?

9. ¿Qué filosofía de gerencia y conducción aplica esta empresa?

10. ¿Cómo describiría la cultura de esta empresa (ambiente, personalidad, etc.)?

11. ¿Cómo describe la empresa su misión? ¿Cuáles son las metas de la empresa?

12. ¿Qué aptitudes y cualidades son más necesarias para hacer carrera en esta compañía?
13. ¿Quiénes serán los competidores más importantes de esta empresa en los próximos cinco años? ¿Qué hará la empresa para mantenerse en la vanguardia?
14. ¿Qué ritmo de crecimiento tuvo la compañía durante los últimos cinco años?
15. ¿Qué próximos cambios anticipa en esta rama de la industria?
16. ¿Se trata de un puesto de creación reciente o reemplazaré a otra persona?
17. ¿Qué cualidades esperan que tenga la persona que ocupe el puesto?
18. ¿Hay una descripción de tareas por escrito? ¿Puedo verla?
19. ¿Cuántos empleados trabajan en este departamento?
20. ¿Cómo ve mi posible integración al grupo ya existente?
21. ¿Qué es lo que más le gusta de trabajar en esta empresa?

ACTITUDES QUE VALEN MÁS QUE MUCHAS PALABRAS

Estamos ante un cambio marcado por una mayor creatividad en la modalidad de las entrevistas. Muchos entrevistadores tienen preguntas favoritas: «¿Por qué son redondas las tapas de las alcantarillas? ¿Cuántas peluquerías para hombres hay en Chicago? Si pudiera ser un animal, ¿qué animal le gustaría ser?» Algunos entrevistadores le atribuyen especial valor a los mensajes no verbales. James C. Penney era famoso porque invitaba a los postulantes a desayunar. Si la persona le ponía sal y pimienta a la comida antes de probarla, la entrevista finalizaba en ese preciso instante. El señor Penney creía que ese comportamiento mostraba a una persona que tomaba decisiones antes de tener toda la evidencia necesaria.

Jeff O'Dell, de la empresa *August Technology*, con frecuencia invita a los candidatos a almorzar y les pide que conduzcan. Jeff comenta: «El orden en el interior del automóvil de una persona puede ser un extraordinario indicador del orden que tiene el resto de su vida». Y además cree que los mejores candidatos para el empleo no sólo tienen automóviles limpios –sin latas ni pelotas de tenis rodando en el asiento trasero– sino que, además, pueden mantener una conversación amena en un restaurante. «De este modo llego a conocer los aspectos personales; si tiene familia, si fuma, etc., elementos que no surgen de una entrevista formal».

A Dave Hall no le preocupa poner a los candidatos más nerviosos que lo que seguramente ya están. Hall, un ejecutivo de *Search Connection*, publica avisos que incluyen el nombre de la empresa pero no el número de teléfono; sólo le interesan aquellos candidatos que se toman el trabajo de buscar el número. En los casos en que no ha llegado a una decisión después de la entrevista, les pide que lo llamen para ver cómo sigue el proceso, y cuando lo hacen, no responde sus primeros tres llamados. Su explicación es que busca empleados que cuando deban hacer llamados telefónicos para reclutar personal, estén dispuestos a persistir incluso después de haber escuchado la frase «no, gracias» un millón de veces.

FINAL DE LA ENTREVISTA

Al prepararse para abandonar la oficina, póngase de pie, bien erguido, estreche la mano del entrevistador y luego recoja su *notebook*. Asegúrese de dar un fuerte apretón de manos al despedirse. Practique lo que dirá en ese momento. No tema preguntar cuál será el paso siguiente. Ensaye lo que dirá para cerrar la entrevista. Podría preguntar: «¿Cuál es el paso siguiente? ¿Cuándo cree que podré tener una respuesta? ¿Puedo llamar el jueves?» Mire de frente al entrevistador mientras se despide, y no deje de establecer contacto visual hasta el momento en que dé la vuelta para irse. No pregunte por el salario ni los beneficios en este momento, pero puede hacer un resumen de su formación y preparación. Además, aclare si sigue interesado en el empleo. Aproveche este breve resumen final para demostrarle al entrevistador que prestó atención a todo lo que se dijo sobre la empresa y el puesto. Prepare una oración de cierre que redondee toda la información que obtuvo durante la entrevista.

Muy pocas personas reciben ofertas de trabajo después de una primera entrevista. Por lo tanto, es muy importante que usted comience el proceso de seguimiento con el entrevistador. Su persistencia e iniciativa pueden ser esa pequeña diferencia que determine que lo elijan.

Nueve de cada diez candidatos no cumplen con el seguimiento después de haber ido a la entrevista. La carta que se envía después de la entrevista es una buena oportunidad para hacer que su nombre vuelva a encabezar la lista de candidatos. El objetivo de la nota de agradecimiento o carta de seguimiento es agradecerle al entrevistador su tiempo y confirmar su interés en el empleo. Además, ayudará al entrevistador a recordar su nombre y pondrá de manifiesto su profesionalismo y habilidad para redactar. Recuerde que a través de la carta de presentación, el currículum, el llamado telefónico de seguimiento, la entrevista y ahora la carta de agradecimiento, logró establecer cinco puntos de contacto con la persona que tomará la decisión. Será difícil que olvide su nombre.

En la carta mencione que se mantendrá en contacto y diga en qué fecha llamará por teléfono. Por ejemplo: «Llamaré nuevamente el martes 23 de agosto en caso de que requiera ampliar la información». Envíe la carta dentro de las 24 horas de finalizada la entrevista.

Continúe comunicándose cada cuatro o cinco días hasta conocer cuál fue la decisión. El tiempo que invirtió concurriendo a la entrevista le da derecho a saber qué decisión se tomó. Habitualmente, las decisiones llevan su tiempo dentro de una organización. No se apresure a pensar que no lo han tenido en cuenta. Es posible que su constancia en el seguimiento determine, finalmente, que usted sea el candidato al que eligieron.

CUENTA REGRESIVA HASTA LLEGAR AL TRABAJO QUE LE GUSTA

1. ¿Puede describir de manera clara y concisa sus áreas de competencia más destacadas?
2. Al saber que «entrevista» significa «ver uno acerca del otro», ¿le resulta más fácil pedir información sobre la empresa y el puesto que ofrecen?
3. ¿Es consciente de algún hábito personal o del uso de muletillas que podrían interferir con su presentación personal?
4. ¿Tiene un entusiasmo contagioso?
5. ¿Conoce algunos ejemplos de preguntas inusuales que le hayan hecho a usted o a otras personas durante una entrevista de empleo? (sólo tiene que sacar tres medias para poder formar un par. No hay manera de saber exactamente cuántos peluqueros hay en Chicago. Esa clase de preguntas que se piensan para poner a prueba su capacidad de abordar un problema difícil).
6. ¿Cómo se puede ser humilde y consagrado y aun así demostrar confianza en uno mismo?
7. ¿Estaría dispuesto a aceptar un empleo aun sabiendo que no es el trabajo adecuado para usted?

Muéstrame el dinero

Puedo hacer algo.
No soy más que uno
pero soy uno,
no puedo hacer todo
pero puedo hacer algo.
Lo que puedo hacer,
eso debo hacer.
Y lo que debo hacer,
con la ayuda de Dios,
es lo que haré.

—ANÓNIMO

He aprendido que la medida del éxito no está dada por la posición que alguien
logró alcanzar en la vida, sino por los obstáculos que tuvo que superar en el
camino en su intento por llegar a la meta.

—BOOKER TALIAFERRO WASHINGTON

La frase «muéstrame el dinero» alcanzó gran popularidad a partir de la película *Jerry McGuire*. En ella, el actor Cuba Gooding Jr. interpreta a un jugador profesional de fútbol americano, y Tom Cruise es su representante. Fuera cual fuere la plaza que Tom Cruise negociaba para Cuba, el jugador siempre finalizaba la conversación gritando: «¡Muéstrame el dinero!» Muy cómico y memorable en la película, pero ¿cómo encaramos el tema en la vida real?

El pedido «muéstrame el dinero», ¿está siempre asociado a personas interesadas, egoístas y materialistas? ¿O es parte del proceso, un elemento que si aprendemos a manejarlo bien puede resultar beneficioso para todas las partes implicadas? ¿Cómo se explica que personas que ocupan el mismo cargo, asistente administrativo, ganen desde 18.000 hasta 80.000 dólares anuales?

Algunos abogados cobran 40 dólares por hora y otros 400. Y uno se pregunta si verdaderamente hay diferencias tan profundas entre la capacidad y la formación de unos y otros. ¿Qué remuneración razonable podemos esperar?

¿En qué medida puede usted tomar la iniciativa en este proceso? ¿Acaso los salarios y jornales, premios o bonificaciones y los beneficios están escritos en piedra en cada compañía? La respuesta es un rotundo *no*. La remuneración es un concepto muy fluido, sujeto a negociación prácticamente en todos los casos. La búsqueda de un paquete salarial adecuado es parte del proceso de la entrevista.

> *Un hombre sabio debe tener el dinero en su cabeza, pero nunca en su corazón.*
> —JONATHAN SWIFT

El primer punto a tener en cuenta es que usted debe estar absolutamente convencido de que es la mejor persona para ocupar ese puesto. Ese convencimiento deriva de saber claramente cuáles son sus áreas de competencia y de tener la confianza, el entusiasmo y la audacia que sólo tienen las personas con objetivos bien definidos. Esto le permitirá presentarse de la mejor manera posible. No puede haber nada falso en cómo usted se ve a sí mismo en relación con ese empleo, porque no podrá mostrar entusiasmo por un empleo si no está convencido de que ese trabajo es el adecuado, ni podrá transmitir confianza acerca de algo en lo que no cree. El mayor impedimento para que la gente negocie una remuneración razonable radica en que en realidad no desean ese empleo o no creen ser la persona más indicada para ocupar ese puesto. En los capítulos anteriores, analizamos la importancia de que haya coincidencia entre el trabajo y lo que usted puede ofrecer. Ahora llegó el momento de concentrarnos en *el trabajo que le gusta.*

Veamos cómo, a menudo, nos acercamos al trabajo desde un esquema de pensamiento que complica las cosas: *El trabajo es el trabajo. Tengo que conseguir empleo para poder pagar las cuentas. Si hiciera lo que me gusta, mi familia viviría a arroz y frijoles.*

¿Verdad que es una opinión muy generalizada? Pero permítanme decirles que no es verdad. Las personas que deciden encaminarse hacia un trabajo que les gusta no sólo encuentran un nuevo sentido, significado y se sienten realizadas, sino que, con frecuencia, experimentan un cambio en sus finanzas, como si se hubiera roto un dique de contención. ¿Debería ser más fácil ganar dinero haciendo algo que le gusta o algo que detesta?

En su magnífico libro *The Millionaire Mind* [La mente del millonario], el Dr. Thomas J. Stanley explica cómo han resuelto esto las personas que son multimillonarias. La mayoría de ellas aman la carrera que eligieron, o como lo expresó uno de los integrantes más ricos del grupo: «No es trabajo; es una tarea hecha con amor». ¡Vaya afirmación!

Agrega el Dr. Stanley que es difícil que una persona reconozca las oportunidades que tiene si permanece en un mismo lugar y mantiene el mismo empleo. La mayoría de las personas que llegaron a ser millonarias por su propio esfuerzo trabajó en numerosos empleos con dedicación parcial y temporal. Por fin, si la persona es lo suficientemente creativa como para escoger su vocación ideal, ganará mucho tiempo. Los millonarios brillantes son aquellos que escogieron hacer algo que realmente les gusta; una actividad con pocos competidores y de gran rentabilidad. *Si le gusta, si realmente ama lo que hace, tiene excelentes posibilidades de triunfar.*

> *Tengo dinero suficiente para lo que me resta de vida, a menos que compre algo.*
> —JACKIE MASON

Ha llegado hasta el final del proceso de búsqueda de empleo, y ahora una empresa desea tenerlo a bordo. La etapa de la entrevista está a punto de culminar y éste es el momento de abordar el controvertido tema de la retribución. Usted piensa, *¿Cuánto podré ganar en este empleo?*, y el empleador piensa, *¿Cuánto me costará esta persona?*

No plantee el tema del salario hasta que:
- Sepa exactamente en qué consiste su trabajo.
- La empresa haya decidido que lo necesita.
- Usted haya decidido que quiere trabajar para ellos.

El salario depende de las responsabilidades que implica el puesto, y no de
- Su educación.
- Su experiencia.
- Su salario anterior.

Para que la negociación del salario le sea favorable, no debe ser el primero en mencionar el tema. En cambio:
- Muestre un sincero interés en los requerimientos del empleo.
- Absténgase de preguntar acerca del seguro social, vacaciones, beneficios adicionales, etc., hasta que esté seguro de que desea el puesto.
- Si le preguntan demasiado pronto por la remuneración, responda: «Me gustaría que conversáramos un poco más sobre el puesto de trabajo para ver si nuestros intereses coinciden».

Debe saber que la palabra *remuneración* puede englobar gran cantidad de beneficios para el empleado:

- Automóvil de la empresa (preferentemente un BMW).
- Ser miembro de la ACJ (Asociación Cristiana de Jóvenes) o de un club de campo.
- Seguro de vida.
- Plan de cobertura médica.
- Plan de cobertura odontológica y oftalmológica.
- Participación en las ganancias.
- Acciones de la empresa.
- Una cuenta de gastos.
- Reintegro por gastos de capacitación.
- Días libres adicionales.
- Gastos por traslado.
- Computadora *laptop* para uso personal.
- Asignarle un asistente administrativo.
- Estacionamiento sin cargo.
- Bono inicial.
- Sesión semanal de masajes.
- Dos semanas en el condominio de la empresa en Hawaii.
- Un Rolex al cumplir tres meses en la empresa.
- No ir a trabajar el día de su cumpleaños.
- Un premio o bonificación por producción al finalizar un proyecto.
- Planes educativos para hijos de empleados.
- Teléfono celular para el trabajo y de uso personal.
- Plan de jubilación (por ejemplo, en los Estados Unidos, el plan 401 k).
- Préstamos a bajo interés para la compra de vivienda.

¿Ha comprendido cómo funciona? Trate de disfrutar del proceso. Comprendo que no todas las personas se sienten cómodas a la hora de negociar. Si no le gusta ir a Tijuana y regatear el precio del collar de turquesa que desea comprar, posiblemente este aspecto de la negociación lo intimide. Pero no debe ver la negociación del salario como una instancia de confrontación, y menos aún como una propuesta en la que necesariamente uno gana y otro pierde.

▶ BENEFICIOS ADICIONALES OFRECIDOS POR LA EMPRESA: ¿UN BMW CERO KILÓMETRO?

Créase o no, hoy, en la pelea desesperada por conseguir buenos empleados, un BMW no es un imposible. De hecho, es una realidad en la empresa Revenue Systems Inc., en Alpharetta,

Georgia. Cada uno de los 45 empleados, desde las secretarias hasta los gerentes, conduce un BMW cero kilómetro arrendado por la empresa, con todos los gastos pagos. La empresa era consciente del gasto promedio que representaba el reclutamiento de personal y decidió invertir ese dinero en arrendamiento de lujosos automóviles para sus empleados. La respuesta de los postulantes –la empresa recibió miles de currículum– bastaría para que muchos otros directivos se pusieran verdes de envidia.

Ceil Díaz dejó de trabajar para el estado de Illinois y obtuvo un puesto en una empresa de publicidad en Chicago. Allí recibió un cesto con flores y un cheque de regalo al cumplir un año en el lugar, y tuvo la oportunidad de reunirse con los arquitectos que diseñarían su espacio de trabajo. John Nuveen & Co., un banco de inversiones de Chicago, paga la totalidad de los estudios universitarios de los hijos de los empleados que hayan trabajado para la empresa un mínimo de cinco años. ¿Le gustaría tener alguien que pasee a su perro? ¿O qué le parece alguien que recoja el pedido del supermercado para su familia? ¿Servicio de guardería y cortes de cabello por tres dólares en su lugar de trabajo?

¿No tiene la impresión de que el tradicional pavo que recibe para el Día de Acción de Gracias ha perdido parte de su encanto?

Imagine la siguiente situación. Bob va a la concesionaria a comprar un automóvil. Ve un Toyota Camry y decide que ése es el vehículo que necesita. Se trata de un modelo básico, sin accesorios, pero parece una buena compra: un automóvil fiable para ir y volver de la Universidad. Una vez elegido el automóvil, hay dos posibilidades:

En la primera, lo atiende un vendedor con poca experiencia, que al saber que la decisión ya se tomó, respira aliviado y lo conduce a Bob a la oficina para cumplir con las formalidades administrativas y del seguro antes de que cambie de opinión. Tomará su pequeña comisión y seguirá con el próximo cliente.

En el segundo caso, lo atiende un vendedor maduro, con experiencia, que habla con Bob y le pregunta si le gusta la música y qué clase de música escucha. Bob responde afirmativamente y el vendedor sugiere: «¿No le gustaría tener un buen equipo de sonido en el automóvil? Ahora que llega la primavera, podría disfrutar muchísimo del techo corredizo. Teniendo en cuenta que está en la Universidad, sería importante garantizar la duración de este automóvil. Es aconsejable proteger el tapizado y aplicarle tratamiento impermeabilizante y anticorrosivo a la carrocería. Pensando en los largos viajes de regreso a casa, ¿no sería conveniente tener control de velocidad de crucero?» Y podríamos continuar enumerando cosas. Finalmente, Bob se va, feliz con la compra, pero habiendo gastado 1500 dólares más que lo que había acordado en el primer caso. ¿Le tendieron una trampa? En absoluto. Sencillamente le hicieron ver las ventajas de ciertas cosas que él deseaba tener. De igual manera, una vez que la empresa decidió contratarlo, usted tiene libertad para negociar el salario y beneficios adicionales sin temor a que eso modifique la decisión inicial de que necesitan un empleado como usted.

Hace poco hice trabajo de consejería con una mujer joven que había perdido un empleo en el que ganaba 75.000 dólares anuales. Estaba muy atemorizada y convencida de que no encontraría otro empleo en ese rango de ingresos, por lo cual había decidido encarar un emprendimiento por su cuenta. Pero después de haber identificado sus excepcionales áreas de competencia, le aconsejé desechar la idea y emprender una búsqueda de empleo creativa. En poco tiempo tuvo dos ofertas sobre la mesa; el empleo que claramente se adecuaba mejor a su perfil le ofrecía un salario básico de 89.000 dólares anuales. Discutimos la propuesta, el hecho de que era un puesto ideal para ella, y regresó y pidió 98.000 dólares. Acordaron un básico de 94.000 con algunos beneficios adicionales, de modo que su paquete salarial se acercó a los 105.000 dólares anuales.

¿En qué consiste la negociación del salario? Recuerde que si ha seguido los pasos propuestos durante la entrevista, el tema salario no se tratará hasta que usted haya decidido que quería el puesto y el gerente que quería contratarlo. Llegado a ese punto, y no antes de ese momento, estará en condiciones de negociar. Recuerde, además, que si su búsqueda de empleo fue eficaz, debería estar negociando con más de una empresa. Aquí abajo puede ver cuál es el momento oportuno: hable del salario «al llegar a la cima».

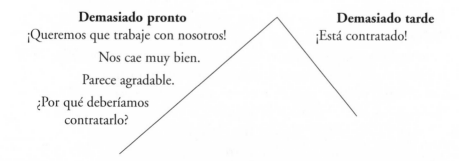

Demasiado pronto
¡Queremos que trabaje con nosotros!
Nos cae muy bien.
Parece agradable.
¿Por qué deberíamos contratarlo?

Demasiado tarde
¡Está contratado!

¿EXCELENCIA O LÍNEA DE POBREZA?

El Instituto de Políticas Económicas en los Estados Unidos (www.epinet.org) recientemente ha determinado el así llamado «salario vital». Según sus cálculos, una familia de 4 integrantes necesita 30.000 dólares anuales; este ingreso cubriría teléfono, seguro médico y cuidado de los niños, pero no incluye comidas en restaurantes, alquiler de vídeos, conexión a Internet ni vacaciones. Significa que uno de los integrantes debe ganar catorce dólares por hora o que más de uno de ellos debe trabajar. Tal vez les sorprenda saber que el 60% de los trabajadores en los Estados Unidos no llega a ganar 14 dólares por hora.

El gobierno, por su parte, fijó la línea de pobreza para una familia de 4 integrantes en 18.400 dólares –ésta fue la cifra oficial en 2003. La franja problemática se encuentra entre los 18.400 y los 30.000 dólares, porque las familias en ese rango no tienen derecho a solicitar ayuda del gobierno pero, sin duda, tienen dificultades para cubrir sus gastos.

Ante esta situación, es necesario hacer las siguientes preguntas: ¿Cómo puedo lograr áreas de competencia que me permitan acceder a trabajos de catorce dólares la hora? ¿Qué otro integrante de la familia va a trabajar? ¿Cómo puedo complementar mis ingresos? ¿Qué puedo hacer para que no me atrape el esquema de pago por hora?

Afortunadamente, hay salidas para cada una de estas situaciones. No es necesario que las dos personas de la familia que trabajan tengan un empleo tradicional. ¿Tiene áreas de competencia a las que no ha prestado suficiente atención? Tiempo atrás aconsejé a una mujer que tenía educación secundaria y ganaba ocho dólares por hora. Buscamos identificar áreas de competencia que la diferenciaran del resto. Cayó en la cuenta de que tenía muy buen manejo de español e inglés, y ahora trabaja en promedio 20 horas semanales por 50 dólares la hora como intérprete en los servicios de salud. Si hace limpieza de viviendas con una empresa de limpieza, seguramente le pagarán entre siete y nueve dólares por hora. Pero la mayoría de esas empresas les cobra entre 25 y 35 dólares a sus clientes. Si puede conseguir cuatro o cinco clientes propios, probablemente reducirá su horario de trabajo y duplicará sus ingresos. ¿Sabe cómo funcionan los remates en Internet? Hace poco aconsejé a un hombre que había comprado un libro por 6 dólares y lo había vendido por 150 en eBay con el fin de complementar sus magros ingresos.

No deje que lo atrapen ni se sienta una víctima. Es posible que nunca llegue muy lejos en un trabajo donde le pagan por hora. Aproximadamente el 70% de los empleos que ejercen personas sin educación secundaria experimentaron una pérdida del salario real en los 2 últimos años, y aun en el caso de personas con título universitario, el 56% tiene un empleo en el que posiblemente no haya aumento el salario real.

Debe estar preparado para este momento. Debe conocer salarios comparativos para el puesto que le interesa (busque en Internet; existen sitios que dan información sobre salarios). Los salarios comparativos y las responsabilidades inherentes a sus funciones son los dos factores que determinarán el monto de su remuneración. Un par de años atrás, aconsejé a una mujer joven a la que habían despedido de un empleo en el que ganaba 19.000 dólares anuales por realizar tareas de oficina. Se dio cuenta de que no era eso lo que le gustaba hacer y decidió enfocar su atención en lo que verdaderamente quería. El proceso implicaba una reorientación laboral, pero ella se mostraba confiada y entusiasta. Después de haber hecho una excelente búsqueda de empleo, tuvo entrevistas en el área de diseño gráfico y mercadotecnia. Fue a una entrevista por un puesto en el que ofrecían un salario de 32.000 dólares anuales, y al finalizar había obtenido un paquete salarial de 54.000 dólares. Hasta hoy, la empresa nunca ha sabido que su salario anterior era de sólo 19.000 dólares, ni tiene por qué saberlo; su salario actual no está en modo alguno relacionado con el anterior. Mi clienta supo transmitir las ventajas de lo que podía ofrecerle a la empresa, y recibió una remuneración acorde con el aporte que podía hacer.

> *Vivo tan lejos de mis ingresos que casi podría decirse que vivimos vidas separadas.*
> —EDWARD ESTLIN CUMMINGS

El énfasis siempre debe estar puesto en el lugar adonde quiere llegar, no en el lugar de donde viene. No hay ninguna ley que establezca que su salario no puede tener un aumento mayor que el 4% anual, ni siquiera el 10%. El mundo es un lugar lleno de oportunidades, y si es capaz de hacerle saber lo que puede hacer, el mundo le pagará lo que usted vale. Muchos de mis clientes han aumentado sus ingresos sustancialmente porque aprendieron a concentrarse en el lugar adonde iban en lugar de pensar en el lugar de donde venían.

Asimismo, debe saber que sus *necesidades no* son un factor determinante para calcular su salario. Si solicita empleo en una cadena de restaurantes de comida rápida, no tiene ninguna importancia que deba afrontar una hipoteca mensual de 1200 dólares y un pagaré de automóvil de 540 dólares; estas empresas jamás le pagarán 40.000 dólares anuales. Sus necesidades no le conciernen a la empresa. Hace poco llegó a mi oficina una mujer joven muy angustiada. Esa mañana había hablado con su jefe y le había explicado que se había mudado a un apartamento más cómodo y había comprado un nuevo automóvil, por lo cual ya no podía vivir con el mismo salario. La despidieron de inmediato. Me reí al escuchar su relato; estuve completamente de acuerdo con la decisión de la empresa. Las obligaciones financieras que ella decidió asumir no influyen en modo alguno en la remuneración que debe percibir.

Asegúrese de saber cuánto vale su aporte y luego ofrezca sus servicios dentro de ese rango. En mi trabajo he visto que a menudo las personas se permiten un margen de 10.000 dólares en cada nueva negociación. Si su salario anterior era de 30.000 dólares, buscan empleos con una remuneración de entre 25.000 y 35.000 dólares. Pero si ven un empleo que se ajusta perfectamente a su perfil en el que ofrecen 65.000 dólares, ni siquiera intentan postularse. No se autoimponga límites; recuerde que muy posiblemente acabará en el lugar adonde espera llegar.

▶ UNA REMUNERACIÓN ACORDE CON LO QUE USTED VALE

¿Cómo determina el valor de lo que usted debe percibir? ¿Se basa en su edad? ¿multiplica por cuatro la cuota de la hipoteca? ¿por sus títulos? ¿los años de experiencia? ¿o su historial de salarios? Ninguno de estos criterios importa. El único criterio válido es su contribución real y su grado de responsabilidad en la empresa.

He aconsejado y acompañado a muchas personas que lograron mejorar sustancialmente su remuneración usando esta frase: «Teniendo en cuenta el nivel de responsabilidad que usted describe, la remuneración debería estar entre ____ y ____. ¿Esta cifra está dentro de su presupuesto?»

El error más grave que comete la gente en la negociación del salario es discutir el tema antes de lo debido. Evite por todos los medios hablar sobre el salario hasta que le ofrezcan el empleo. Cualquier conversación previa se volverá en su contra.

Hasta el momento, el libro más concreto y preciso que leí sobre el tema es *Negotiating Your Salary: How to Make $1,000 a Minute* [La negociación del salario. Cómo ganar 1000 dólares por minuto], de Jack Chapman.

▶

Tenga en cuenta los siguientes principios:

1. Usted debe hacer que la empresa gane dinero. Como regla general, debe hacer que la empresa gane entre tres y cinco veces su salario para que su contratación sea una inversión rentable.

2. Su remuneración casi siempre dependerá del nivel de responsabilidad que su puesto implique. Si pueden reemplazarlo fácilmente, el valor que le asignen será menor.

3. El trabajo es un valor intangible. Son muy pocos los salarios grabados a fuego. Las compañías que tienen un empleo presupuestado en 38.000 dólares, comenzarán ofreciéndole 31.000 dólares. Esté atento porque probablemente la primera oferta que escuche no sea lo que la compañía tiene presupuestado.

4. Una vez acordado el paquete salarial, asegúrese de que el acuerdo se ponga por escrito. Si ha sido creativo durante el proceso de la negociación, es necesario poner por escrito el acuerdo verbal. Eso evitará que más adelante se vea obligado a defender lo que creyó haber entendido.

Disfrute de todo este proceso. No diga «sí» hasta que todo coincida con sus objetivos. Si ha encarado bien el proceso de búsqueda, en este momento debería estar considerando dos o tres ofertas.

CUENTA REGRESIVA HASTA LLEGAR AL TRABAJO QUE LE GUSTA

1. ¿Se siente incómodo si tiene que negociar el precio de alguna cosa? Describa tres situaciones en las que haya negociado el precio que debía pagar por algo.

2. ¿Negoció su salario en alguna oportunidad pasada?

3. ¿Es consciente de que al cambiar de empresa puede aumentar en un 40% o un 50% sus ingresos, pero que es improbable que lo logre mediante un ascenso dentro de la misma empresa?

4. ¿Cuáles son las pautas para determinar un monto razonable? ¿Qué es justo? ¿Es siempre razonable pedir más?

5. Lea Mateo 20:1-15. ¿Cómo se relaciona esta parábola con lo que ha aprendido?

6. ¿Qué haría si lograra triplicar su actual ingreso? ¿Qué podría ofrecerle a la empresa que justificara ese aumento?

¿Tiene todo lo que hay que tener?

Sentíamos una alegría incontenible porque al día siguiente
dejaríamos atrás el mundo conocido.
Qué sensación maravillosa...
Decidir nuestra propia vida y destino
obedeciendo cada uno hasta el fin su misterioso llamado,
sus sueños y pasiones.

—Douchan Gersi

Examínese cada uno a sí mismo; descubran dónde
reside la verdadera clave de su grandeza.
Aférrense a ese destino y no permitan que nadie
mediante el uso del poder o la persuasión
les impida cumplir con su cometido.

—Un profesor en Carros de fuego

Hagan brotar en ustedes una energía incontenible,
que ponga alas en su corazón
y les permita volar más allá de cualquier límite autoimpuesto.

—Gerald G. Jampolsky, doctor en Medicina

¿Qué hacer si todo este proceso de buscar un nuevo empleo no arroja ningún resultado? Tal vez sigue sin ver con claridad su inserción en una empresa, y no le entusiasma la perspectiva de quedar nuevamente a merced de las políticas de una determinada compañía. Quizás ha pasado bastante tiempo desde la última vez que buscó empleo, o a lo mejor no le atrae la idea de trabajar con un jefe que tiene la mitad de su edad. ¡No se desanime! Esto también forma parte del proceso de clarificar qué es lo mejor para usted y de llegar a escoger el trabajo más adecuado, un trabajo que le permita renovar su pasión y entusiasmo cada día. Es posible tener un trabajo que lo estimule a levantarse cada mañana; un trabajo que le haga decir: «¡Para esto he nacido!»

EL JEFE QUE SIEMPRE QUISO TENER

Tal vez ha llegado el momento de ser su propio jefe. Sí, el jefe que siempre quiso tener. Si usted tiene el típico perfil del trabajador independiente, es posible que nunca haya sabido con claridad qué quería ser cuando fuera mayor. Probablemente nunca le atrajeron las propuestas tradicionales, y le resultó frustrante el esfuerzo por llegar a ser un buen empleado. ¡No desespere! Quizá solo necesita un nuevo modelo laboral. Aunque creía que sabía cuál era su objetivo, es posible que los cambios lo hayan tomado por sorpresa. Las reducciones de plantilla, la subcontratación y la reestructuración de la gestión administrativa posiblemente lo obligaron a reconsiderar dónde se encuentra y hacia dónde va. ¡Felicitaciones! Posiblemente sean estos mismos factores los que le brinden una nueva y mejor opción.

> *El problema de tener un empleo es que se interpone en los planes de hacerse rico.*
> ROBERT T. KIYOSAKI,
> *RICH DAD, POOR DAD*
> [PAPÁ RICO, PAPÁ POBRE]

A partir de la frustración, desaliento y el temor podrá divisar un horizonte de entusiasmo y esperanza. Tome conciencia de que posee múltiples áreas de competencia y que los años de trabajo en empresas le han servido de entrenamiento en casi todos los aspectos requeridos para administrar y organizar su propia compañía. Éste puede ser el momento de convertir el modelo de trabajo: pasar a ser el dueño de su tiempo y tener mayor libertad para generar ingresos, como siempre deseó.

Siéntase animado a lo largo de este proceso, ¡recupere la esperanza! Hoy las opciones son ilimitadas. Es posible estar preparado, concentrarse en un objetivo y avanzar con la confianza y el entusiasmo necesarios que le permitan proyectarse hacia una nueva oportunidad. No le propongo saltar al vacío, no se trata de hipotecar la granja o arriesgarlo todo. Lo que sugiero es que tal vez sea un buen momento para analizar nuevas modalidades de trabajo que le permitan alcanzar un sentido de realización, satisfacción, servicio y, finalmente, auténtica seguridad.

Si aspirara a ser abogado de un gran estudio, contador en una de las empresas que figuran en *Fortune 500* o médico de uno de los grandes hospitales metropolitanos, seguramente tendría mucha gente a su alrededor alentándolo a seguir. Padres, maestros, profesores y amigos lo animarían, impulsarían y lo guiarían en el camino del éxito. Si formara parte de un equipo de ventas de alto nivel o fuera programador informático, regularmente lo enviarían a seminarios y programas de capacitación para fortalecer sus habilidades y su confianza.

Pero ¿qué ocurre si usted integra el grupo cada día más numeroso de trabajadores independientes? ¿Quién lo alienta? ¿Quién lo guía? ¿Quién le dice qué debe hacer para alcanzar el éxito o cuándo debe presentarse a trabajar? Sus antiguos compañeros de trabajo, jefes, la familia y los amigos, ¿lo animan a seguir adelante o creen que se volvió loco porque

> *La virtud de la imaginación es fluir, no congelar.*
> —RALPH WALDO EMERSON

quiere establecerse por cuenta propia? ¿Admiran su determinación, o le dicen que su propuesta no es práctica ni realista? A fin de cuentas, usted escoje dejar la *seguridad, previsibilidad y estabilidad* de un «empleo real».

Cuando decida dar el salto y comenzar a trabajar por su cuenta, piénselo bien antes de compartir sus preocupaciones con las personas más cercanas. Cada uno de ellas tiene sus propios problemas y preocupaciones, y en ocasiones puede resultarles difícil compartir su entusiasmo porque tal vez sus logros les recuerdan su propio descontento con su trabajo. Además, debe preguntarse si realmente podrán comprender el valor de comenzar su propio servicio de mantenimiento de parques o de recoger ropa de la lavandería o de cuidado de personas mayores, o la venta de sus propias artesanías.

El cambio que significa dejar de recibir un cheque para pasar a generar el ingreso propio puede provocar a la vez gran entusiasmo y temor. Zarpar de la orilla sin ver el puerto a donde se quiere llegar puede parecer una propuesta arriesgada. Sin embargo, sabemos que en el mercado laboral actual, permanecer en la misma compañía también conlleva riesgos. Poco tiempo atrás conocí a un señor al que despidieron después de 32 años de fieles servicios en la Texaco; tenía 57 años y no estaba preparado para jubilarse.

Otro hombre de 46 años, después de una carrera de 17 años en Texas Instruments, empresa en la que lo habían ascendido a cargos de mayor responsabilidad, recibió el aviso de que tenía 60 días para buscar otro trabajo. ¿Habrán pensado estas personas que tenían seguridad? ¡Ciertamente! Pero

¿qué entendemos por *seguridad*? El general Douglas MacArthur definió la *seguridad* como «la capacidad que uno tiene de producir». Su seguridad depende de su capacidad de definir qué cosas sabe hacer que tengan valor. A mayor claridad respecto de qué cosas hace bien y le reportan beneficios a otros, mayor seguridad tendrá.

La seguridad ya no proviene de una compañía. Muchas personas buscaron empleo en gigantes como General Motors, AT&T o Kodak, confiadas en que después de cumplir sus años de servicio, la empresa demostraría su gratitud cuidando de ellos cuando se jubilaran. Aquellos que decidieron trabajar para el gobierno, organizaciones sin fines de lucro e incluso organismos paraeclesiales se sentían aún más confiados. Seguramente estas organizaciones nunca harían recortes de personal, no echarían ni despedirían a sus fieles servidores. Y sin embargo, hemos visto que todas estas empresas, incluida la Dirección de Rentas de los Estados Unidos y editoriales y sellos discográficos cristianos, despidieron cientos de miles de empleados sin ofrecerles una solución para su futuro. El concepto histórico de seguridad, tal como lo conocíamos, ya no existe.

Afortunadamente, la tecnología ha reducido el fabuloso costo que implicaba en el pasado crear un negocio propio, hasta llegar en algunos casos a costo cero. Ya no importa si no tiene un cuñado banquero porque no necesita 3 millones de dólares para instalar una cancha de bolos. En la actualidad, la tecnología ha hecho posible desarrollar una actividad comercial que manejan una o dos personas desde su casa, y que, sin embargo, aparenta ser una gran compañía. En mi caso personal, creo que supero en ventas a muchas librerías tradicionales a pesar de que no tengo edificios, pago de alquileres, carteles de publicidad, empleados, pago de salarios y sólo hago un pequeño inventario diario. Nuestros productos se distribuyen a una base nacional de clientes, y muchos de ellos se envían en forma digital, sin costos de impresión, empaque o envío.

Recuerde que el mayor atractivo de tener su propia empresa no radica en las ganancias sino en la libertad: la posibilidad de decidir su propio destino. Una empresa unipersonal puede ser la opción menos riesgosa y con mayor potencial para lograr el control de su destino. La tecnología actual y las múltiples opciones que ofrece el mercado laboral le permiten iniciar prácticamente cualquier negocio, con dedicación parcial, desde la habitación de huéspedes en su casa.

¿NECESITA GENERAR MÁS INGRESOS? ATRAPE LUCIÉRNAGAS

Con frecuencia mi trabajo consiste en mostrarle a la gente cómo pueden generar ingresos adicionales sin dejar su empleo. He aquí una idea que nunca se me había ocurrido, hasta ahora.

Las luciérnagas son parte de una importante investigación en el campo de la biología molecular. Estos insectos se usan en investigación genética, específicamente en la búsqueda de posibles nuevos tratamientos para el mal de Alzheimer y algunos tipos de cáncer. Ya se han logrado resultados prometedores en el tratamiento del Parkinson y la enfermedad de Huntington.

El precio por la provisión de luciérnagas es 33 dólares por gramo, aproximadamente 1,30 dólar por 100 luciérnagas. Es necesario mantenerlas congeladas y secas, y enviarlas de inmediato, pero Kelly Smith, en Lawrenceburg, Tennessee, recogió 408 gramos el año pasado y recibió un cheque por 129 dólares.

Imagine que se vence la cuota de la hipoteca, o que van quedando pocas provisiones en casa. O tal vez esa nueva lavadora que sólo cuesta 399 dólares... Si logra atrapar 30.692 luciérnagas, podrá darle una sorpresa a su esposa.

A propósito, estoy seguro de que hay ideas mucho mejores que le permitirán generar ingresos adicionales.

Nota: en los Estados Unidos se puede obtener más información sobre el proyecto mencionado escribiendo a Firefly Project, 103 Wiltshire Drive, Oak Ridge, Tennessee 37830.

¿TIENE TODO LO QUE HAY QUE TENER?

¿Posee las características necesarias para llevar adelante un emprendimiento exitoso?

A través de los años, he identificado una serie de rasgos o características que son indicadores de que la persona puede llevar adelante un emprendimiento exitoso. La mayor cantidad de respuestas afirmativas que dé a las preguntas que siguen, indicará una mayor aptitud para tener su propia empresa. Cada una de las 18 preguntas está seguida de una explicación sobre la importancia de ese rasgo particular.

___ 1. ¿Tiene iniciativa personal? Los dueños de empresas que logran tener éxito son personas que hacen que las cosas ocurran. No se sientan a esperar que suene el teléfono o que alguien les diga cuál es el paso siguiente.

___ 2. ¿Se lleva bien con diferentes clases de personas? Todo negocio, incluso los más pequeños, implica tener contacto con una variedad de personas: clientes, proveedores, personal de los bancos, empleados de imprentas, etc.

___ 3. ¿Tiene una visión positiva de la realidad? El optimismo y el buen humor son elementos clave del éxito. Es preciso ver las dificultades y los pequeños fracasos como escalones en el camino que finalmente lo conducirá al éxito.

___ 4. ¿Tiene capacidad de tomar decisiones? La tendencia a postergar es el principal obstáculo para tomar buenas decisiones. En un negocio próspero, las decisiones importantes se toman día a día; nunca se postergan. El 80% de las decisiones debe tomarse de inmediato.

___ 5. ¿Es capaz de asumir responsabilidades? Si suele culpar a otros, a la empresa, al gobierno o a su cónyuge cuando las cosas salen mal, probablemente no sea un buen candidato para tener su propio negocio. Las personas que tienen su propio negocio asumen la responsabilidad por los resultados aun cuando estos hayan sido desfavorables.

___ 6. ¿Le gusta competir? No es necesario caer en la competencia feroz o desleal, pero debe gustarle la emoción de la competencia. Debe sentir un fuerte deseo de competir, incluso contra sus propios logros del día anterior.

___ 7. ¿Tiene fuerza de voluntad y autodisciplina? La autodisciplina es una de las características clave que asegura el buen funcionamiento de todas las demás. Sin autodisciplina no logrará triunfar.

___ 8. ¿Acostumbra planificar sus acciones futuras? Todo empresario exitoso desarrolla una visión a largo plazo. Tener un plan minucioso desde el inicio de la actividad, aumenta significativamente las probabilidades de éxito. Si acostumbra fijarse metas y objetivos, tiene mayor probabilidad de triunfar trabajando por su cuenta.

___ 9. ¿Sabe aceptar consejos de otras personas? Trabajar en forma independiente no significa que usted tiene todas las respuestas. Permanecer abierto a la sabiduría y experiencia de otras personas es la marca distintiva de un líder. Las personas que saben escuchar ganan tiempo porque evitan cometer errores que otros cometieron antes.

__ 10. ¿Se adapta con facilidad a los cambios? En el mercado laboral presente, el cambio es una constante. Cada cambio encierra nuevas oportunidades, y las personas exitosas ven los cambios como oportunidades en lugar de considerarlos una amenaza.

__ 11. ¿Tiene constancia? La mayoría de los nuevos emprendimientos no tiene un despegue tan rápido como uno quisiera. ¿Está dispuesto a asumir un compromiso de al menos un año sin importar qué sombrío se presente el panorama por momentos? ¿Está dispuesto a continuar incluso cuando sus amigos le digan que arroje la toalla?

__ 12. ¿Tiene confianza y un profundo convencimiento en lo que está haciendo? No es momento de dudar o de postergarlo para más adelante. Debe tener absoluta convicción en lo que está haciendo. Si no tiene un convencimiento absoluto, no podrá vender la idea, el producto o el servicio a los inversores o clientes. No se engañe a sí mismo pensando que puede hacer bien algo en lo que no cree de verdad.

__ 13. ¿Disfruta de lo que va a hacer? Nunca logrará triunfar haciendo algo que sólo representa una retribución económica. En última instancia, debe encontrar propósito y satisfacción en lo que hace. Sólo tome en cuenta las ideas que verdaderamente despierten su pasión.

__ 14. ¿Es capaz de *venderse* y vender sus ideas? Muchas personas fracasan aun teniendo un gran producto o servicio porque no saben venderlo. Nadie vendrá hasta la puerta de su casa «aunque haya fabricado la mejor ratonera». Eso pertenece al pasado; ahora es preciso vender constantemente.

__ 15. ¿Está preparado para cumplir un extenso horario de trabajo? Muy pocos negocios alcanzan el éxito de inmediato. La mayoría requiere meses o años de arduo trabajo antes de marchar a buen ritmo. Es comparable al despegue del avión; se necesita mucha energía inicial, pero una vez que levantó vuelo, requiere menos energía para continuar la marcha. Algo similar ocurre con un negocio.

__ 16. ¿Tiene la energía física y emocional necesarias para manejar un negocio? Manejar su propio negocio puede demandar mayor desgaste de energía que trabajar para otra persona porque usted debe tomar todas las decisiones y seguramente hacer todo el trabajo, al menos, en el comienzo.

___ 17. ¿Cuenta con el apoyo de su familia y su esposo o esposa? Sin el apoyo de quienes viven con usted, sus posibilidades de éxito quedarán muy reducidas. La duda y la desazón se cuelan muy fácilmente.

___ 18. ¿Está dispuesto a arriesgar dinero en este emprendimiento? Si la respuesta es negativa, probablemente esté en duda su confianza y su compromiso con este. Ningún banco ni prestamista externo asumirá un riesgo que usted no está dispuesto a respaldar con todos sus bienes.

Un número creciente de estadounidenses busca decidir su propio destino y gozar de la libertad de tener su propio negocio. Asegúrese de escoger un rubro de actividad acorde con sus características personales. Su trabajo debe integrar sus habilidades, sus inclinaciones personales y sus intereses. Esto puede parecerle obvio y muy sencillo, pero es asombrosa la frecuencia con que traicionamos estos principios. Un mejor conocimiento y comprensión de sí mismo le permitirá buscar una actividad que se adecue a su perfil, y esto, a la vez, le permitirá aumentar de manera exponencial sus posibilidades de éxito.

EMPRESARIO POR ACCIDENTE

De las filas de los desocupados surge una nueva raza de emprendedores: los empresarios por accidente, personas que jamás imaginaron tener su propio negocio hasta que no les quedó otra opción. He visto pilotos de aviación, médicos, directores de recursos humanos, altos ejecutivos, pastores y abogados que perdieron su empleo. Un ejecutivo de la industria de la música perdió el empleo cuatro veces en los últimos tres años. ¿Qué probabilidad existe de encontrar otro empleo similar que iguale su salario anterior de 130.000 dólares anuales? Es posible, pero poco probable. Y la probabilidad de encontrar seguridad y previsibilidad es prácticamente inexistente.

No obstante, la creatividad muchas veces nace en medio del caos y la incertidumbre. Un alto ejecutivo ahora escribe para sitios web, un pastor se convirtió en artista plástico, un abogado organiza seminarios de capacitación para ejecutivos, y un piloto de aviación tiene su propia agencia de cruceros. Todos ellos afirman sentirse más libres y tener más control sobre su vida. Quizás este derrumbe no es otra cosa que Dios ayudándolo a desplegar sus alas.

¿Es un buen candidato?

Si usted está acostumbrado a pensar y a tomar decisiones como empleado, trabajar por cuenta propia puede resultarle una experiencia angustiante. Los clientes no realizan la compra en la fecha que dijeron que lo harían, los equipos se rompen en el momento menos oportuno, los trabajadores no se presentan en el tiempo acordado y el propietario aumenta el alquiler sin previo aviso. En gran medida, las características que hacen de una persona un buen empleado suelen ser lo contrario de lo que se necesita para ser un trabajador independiente exitoso. De hecho, ser leal, previsible y hacer lo que los demás esperan que hagamos puede atentar contra sus mejores esfuerzos empresariales.

Es posible que muchas prácticas comerciales estándar no deban aplicarse a la actividad que usted quiere desarrollar. Bill Gates, Steve Jobs, Ross Perot y Sam Walton no se guiaron por criterios empresariales estándar cuando crearon sus compañías. Y en el caso de su actividad, es posible que las políticas de salarios, los contratos de arrendamiento y los complejos sistemas contables tengan poca importancia. Los principios de la administración de empresas tradicional no contemplan las necesidades de los trabajadores por cuenta propia, los emprendimientos en el hogar, los artesanos, artistas, escritores, asesores y trabajadores bajo contrato cuyo número está creciendo en forma explosiva.

Incluso los factores predictivos tradicionales (inteligencia y educación) no parecen indicadores de éxito en el caso del trabajador independiente. En su conocido libro *La inteligencia emocional,* el autor, Daniel Goleman, afirma: «Existen innumerables excepciones a la regla según la cual el cociente intelectual es un factor predictivo del éxito; de hecho, las excepciones superan a los casos que cumplen la regla. En el mejor de los casos, el cociente intelectual contribuye en un 20% a los factores que determinan el éxito en la vida de una persona, lo cual deja el 80% en manos de otras fuerzas». Seguidamente, el autor describe estas *otras fuerzas* como la inteligencia emocional: «Habilidades tales como ser capaz de motivarse, de persistir frente a las decepciones; controlar el impulso y demorar la gratificación; regular el humor y evitar que la angustia disminuya la capacidad de pensar; mostrar empatía y abrigar esperanzas». Estas otras fuerzas, que componen el 80% de los factores determinantes del éxito, incluyen la actitud, el entusiasmo, la energía y el tono de voz.

Richard Branson, el extravagante multimillonario fundador del poderoso grupo económico *Virgin* (que incluye más de 150 empresas) fue un niño disléxico, con problemas en su desempeño escolar y baja puntuación en sucesivos test de cociente intelectual. Sin embargo, a los 17 años, cuando todavía era alumno de una escuela con internado, Branson publicó un novedoso periódico llamado *Student* [Estudiante]. Ofreció espacios publicitarios a las empresas, logró conectar a estudiantes de diferentes colegios y obtuvo gran cantidad de artículos escritos por estrellas de rock y de cine y miembros del Parlamento británico. Resultó un muy buen negocio y un gran éxito financiero. El director del colegio lo resumió de este modo: «Lo felicito, Branson. Puedo anticipar que usted acabará en prisión o se hará millonario». Tratándose de un alumno con dificultades para leer, no le fue del todo mal.

> *Si uno avanza confiado en la dirección de sus sueños, y se esfuerza por vivir la vida que ha imaginado, se encontrará con un éxito inesperado en cualquier momento.*
> —HENRY DAVID THOREAU

Entre los autores que publican sus propias obras, a mi amiga Cindy Cashman la reconocen como una de las más exitosas. A los 26 años la consideraban analfabeta. Su primer libro se tituló *Everything Men Know about Women* [Todo lo que saben los hombres acerca de las mujeres]. Lo publicó ella misma y vendió más de 1,3 millón de copias a 3,95 dólares cada una (debo agregar que eran 128 páginas en blanco). Su capacidad de ver más allá de lo conocido e imaginado le permitió tener éxito en el mundo de los escritores siendo una persona que tenía dificultades para leer.

EL MARKETING MULTINIVEL

Si usted vive en los Estados Unidos, probablemente alguien se le haya acercado para proponerle ingresar a una compañía de marketing multinivel. Ya sabe cómo funciona: compre este producto, promociónelo a 3 de sus amigos, que se lo quitarán de las manos porque se trata precisamente de esa maravillosa píldora que todo el mundo esperaba, y a los 6 meses estará ganando 20.000 dólares mensuales y nunca más tendrá que trabajar. Hay muchas personas que desean ser dueñas de su destino y de su tiempo, y este sistema les ofrece esa libertad. Pero así como se producen muchos desajustes en los trabajos corrientes, también existen desajustes en el sistema multinivel. Y la razón fundamental es la siguiente: la mayoría de las compañías de marketing multinivel promueve un concepto falso: que cualquier persona puede ser un gran vendedor si se le dan buenas herramientas como unas cintas de audio y algo de entrenamiento. Esto es absolutamente falso. La mayoría de las personas jamás llegará a ser tan buenos vendedores hasta el punto de hacer de las ventas su medio de vida, particularmente el tipo de venta cara a cara que requiere el marketing multinivel. No, no se puede hacer a través de Internet. Para que el sistema funcione es preciso comunicarse directamente con las personas, y estar preparado para manejar el rechazo, algo que la mayor parte de la gente no puede hacer.

El éxito de unos pocos se logra a costa de todos los demás que pierden tiempo y dinero tratando de alcanzar una meta inalcanzable. Precisamente éste es mi problema con el 99% de las compañías de marketing multinivel: estimulan a la gente a ganar dinero explotando su habilidad de usar a otras personas.

Ser vendedor es una profesión honorable. Si sabe vender, puede brindarle un valioso servicio a sus clientes, sin necesidad de aprovecharse de nadie. Sea cauto frente a las compañías que ofrecen la solución a los sueños de todo el mundo. ¿Lo entrevistaron como posible candidato para la tarea requerida o simplemente lo reclutaron para incorporarlo como un número más en la base de otro vendedor? Si usted creara su propia compañía de marketing multinivel, ¿contrataría a su tío Alfredo como vendedor?

Si está trabajando en una compañía con este sistema, asegúrese de que hace su trabajo con la misma integridad que usted esperaría de cualquier otra empresa.

La reducción de personal que implementan las empresas y la subsiguiente inseguridad, han provocado un resurgimiento del trabajo no tradicional. Asimismo, esto ha dado lugar a un nuevo tipo de situación que consiste en tener un trabajo de base que asegura techo y comida, al que se le suman uno o dos proyectos que generan ingresos adicionales. A partir de la explosión de oportunidades para emprender negocios desde el hogar, muchas personas en los Estados Unidos están descubriendo que este modelo es más razonable que intentar encontrar un empleo ideal que cubra todas sus necesidades. Hoy, una de las frases más usadas a la hora de pensar en una carrera laboral es «múltiples fuentes de ingresos». La expresión fue definida en el libro del mismo nombre escrito por el empresario Robert Allen. Usted puede desarrollar dos o tres actividades generadoras de ingreso en lugar de concentrar su trabajo en un único empleo importante.

En mi caso, por ejemplo, mis ingresos provienen de siete actividades diferentes; en ninguna de ellas hay empleados y ninguna se asemeja a un negocio tradicional. Trabajo como consejero individual, vendo libros y archivos digitalizados, tengo un grupo de facilitadores que dan cursos con los materiales de *48 días* en todo el país, escribo artículos para revistas y sitios web, etc.

Quizá no se ve a sí mismo como un típico empresario o dueño de negocio, pero durante un período de transición debe identificar todas las opciones laborales que existen. Sería una imperdonable miopía limitar la búsqueda a un empleo tradicional cuando ese modelo laboral está declinando. Debe estar informado acerca de los nuevos modelos laborales y nuevas maneras de desarrollar las habilidades que le son propias.

En la actualidad, cerca del 60% de los hogares en los Estados Unidos alberga algún tipo de actividad comercial. De acuerdo con la tendencia actual, el número se elevará hasta alcanzar el 72% en los próximos 5 años. Esto no significa que el negocio que funciona en el hogar provea el total de ingresos de la familia, pero tampoco se limita a alguien que vende un poco de jabón y gana 100 dólares mensuales. En promedio, los negocios en el hogar generaron algo más de 52.000 dólares anuales en 2003. Más del 78% de todas las compañías en los Estados Unidos tiene menos de 10 empleados, y muchas de esas empresas operan desde la casa de una persona. Ya es historia el tiempo en que era necesario un préstamo inicial, asumir un compromiso por las instalaciones, tener empleados y un plazo de cinco a siete años para lograr rentabilidad.

Según datos publicados por la revista *Entrepreneur* en los Estados Unidos, el 69% de los emprendimientos que está surgiendo requiere una inversión inicial inferior a los 10.000 dólares, y el 24% no requiere inversión alguna.

··

CÓMO FUNCIONA LA ESTAFA DEL MARKETING DE INVENTOS

Si vive en los Estados Unidos, seguramente habrá visto los anuncios publicitarios, a la noche tarde en la televisión o en la contratapa de alguna revista: «¡Obtenga una patente y venda su invento!»

Primer error: los programas nacionales y las revistas nunca permitirían que alguien usara ese medio de comunicación para publicitar una estafa.

Situación real: las publicaciones nacionales no tienen tiempo ni herramientas para verificar cada posible anunciante. Y estos anunciantes pueden llegar a pagar 60.000 dólares por espacios publicitarios, de modo que los medios miran en otra dirección.

Segundo error: el inventor recibe una presentación muy atractiva y se apresura a enviar su idea para que la estudien.

Situación real: la información que recibe el inventor es engañosa, a veces son mentiras descaradas y otras, medias verdades engañosas. Los testimonios suelen ser falsos, y los llamados para preguntar por clientes anteriores los atienden personas que son cómplices de la estafa.

Tercer error: la compañía llama y le explica con gran entusiasmo que nunca habían visto una idea como la suya y que no dudan de que logrará un éxito inmediato. Por supuesto, usted deberá pagar determinados honorarios y gastos para obtener la patente y un informe de mercadeo. Los datos que tienen sobre usted determinarán los honorarios, que generalmente van desde 650 hasta 7.000 dólares.

Situación real: la compañía acepta todas los inventos que recibe. Conocí a una persona que había diseñado un adaptador resistente a la vibración para el encendedor del automóvil. ¿Cuántas unidades creen que podría llegar a vender? Sin embargo, la compañía le presentó las cifras de los vehículos con encendedores, y le aseguró que si lograba venderle su invento a un pequeño porcentaje, sería millonario.

Cuarto error: el proceso se intensifica a medida que se cumplen nuevas etapas, y usted debe enviar más dinero para pagar un «informe». Las empresas ya se están comunicando con la oficina de patentes para solicitar pedidos de su producto.

Situación real: ésta es la parte más difícil de creer: finalmente, el inventor obtiene una patente... que carece de valor. Tenga presente que la mayoría de las patentes sólo vale el papel en el que están impresas. La Oficina de Patentes otorga más de 100.000 patentes al año, la mayor parte de ellas sin ningún valor práctico. Se puede patentar una rueda cuadrada porque nadie lo ha patentado antes, pero ¿quién querrá comprarla? Trabajé con una pareja joven que en 2 oportunidades había enviado más de 10.000 dólares a estas compañías estafadoras y jamás recuperó un solo centavo. Una de las patentes era un separador plástico para ordenar los cheques que se habían pagado.

Esto fue sólo una breve presentación de una gran industria. Manténgase alejado de las firmas de mercadeo de inventos que anuncian tarde a la noche en la radio o en la televisión. Su propósito es engrosar sus cuentas y ¡vaciar las suyas!

Brian Tracy, un conocido asesor de ventas y negocios en los Estados Unidos, dice que la mayoría de nosotros tiene tres o cuatro ideas al año que nos haría millonarios si hiciéramos algo con esas ideas. Pero que también esa mayoría las desecha por considerarlas irrealistas, poco prácticas o demasiado costosas, o piensa que probablemente alguien ya lo probó. De esta forma, perdemos una oportunidad de modificar nuestras probabilidades de éxito.

Empresas de servicios, telecomunicaciones, trabajar a través de una computadora con acceso a Internet y el mercadeo en redes son áreas que ofrecen increíbles nuevas oportunidades. Muchas de ellas han hecho desaparecer el antiguo modelo de canjear tiempo por dinero. Probablemente esté acostumbrado a que le paguen 10 dólares por hora o 37.000 dólares al año a cambio de su *tiempo* y *esfuerzo*. Pero ¿qué le parece la idea de brindar información a través de un sitio en Internet y enfrentar la posibilidad de ganar 1000 dólares diarios? ¿O qué opina de un producto de venta por correo para su hobby de jardinería, que produce cientos de órdenes semanales, de modo que la retribución ya no depende del tiempo y esfuerzo sino de los *resultados*?

Debe estar atento a este cambio desde una economía que se basa en tiempo y esfuerzo a otra que lo hace en los resultados. En 1896, cuando un cliente ordenaba un pequeño carro, eso no le garantizaba al trabajador un determinado pago por hora ni determinada ganancia anual, sino que se acordaba un precio por el producto final, en este caso, el carro terminado. Si el trabajador le dedicaba 15 o 200 horas a la construcción del carro, eso no le preocupaba al cliente; él simplemente pagaba por un carro listo para usar. Ése es un modelo que se basa en el resultado en lugar de hacerlo en el tiempo y el esfuerzo. En el actual mundo laboral estamos viendo una vuelta a ese sencillo modelo.

Incluso las empresas han comenzado a decirles a sus empleados: «No garantizamos un salario simplemente porque se presentó a trabajar; la retribución será acorde con lo que produzca». Hace poco los contratos en la compañía Saturn, en Spring Hill, Tennessee, incorporaron este concepto: los empleados reciben un salario básico acordado, pero su retribución sustancial depende de las ganancias de la empresa. Es una vuelta saludable a un modelo de retribución más realista.

Puede resultarle útil o ventajoso analizar opciones inusuales o singulares en su búsqueda de nuevas oportunidades de empleo. Por ejemplo, podría trabajar para una firma que pinta letreros y cobrar 15 dólares por hora, pero ¿estaría dispuesto a trabajar para esa misma compañía y cobrar 6 dólares por cada letrero pintado en una propiedad durante esa semana? ¿Y cortar el césped en los jardines por 65 dólares cada jardín? ¿O anunciar una receta familiar en la contratapa de una revista de cocina que le permitirá ganar tres dólares por cada orden que reciba? Si está dispuesto a considerar nuevos modelos, verá ampliarse enormemente su espectro de oportunidades.

Un cliente con el que trabajé recientemente, a pesar de poseer títulos universitarios, disfruta del desafío de sacar topos de los jardines. En este momento estamos desarrollando un modelo para ese negocio, que tiene el potencial necesario para convertirse en una exitosa franquicia. *¡Llegó el Toponator!*

LOS NEGOCIOS DE LOS AMISH

Al pasar por Holmes County, Ohio, durante un viaje en automóvil, una vez más me intrigó la cantidad de emprendimientos en la zona de los amish. Vimos vehículos de 18 ruedas girar y tomar caminos de ripio para dirigirse a los diferentes negocios ubicados en las carreteras secundarias. La reducción del número de personas dedicadas a la agricultura ha afectado incluso a este grupo tradicionalmente dedicado a trabajar la tierra. Según estudios recientes, en esta comunidad, más de la mitad de los amish ha dejado sus granjas para trabajar en microemprendimientos.

Según los informes de las entidades comerciales, hay alrededor de 1000 microemprendimientos de los amish en la zona. Varios de ellos presumen de tener ventas anuales que superan el medio millón de dólares. Están vendiendo carros, arneses, madera para construcción, y también muebles, armarios modernos, puertas para garajes y quesos. Los restaurantes, hoteles, gimnasios y lugares para turistas disfrutan de un momento de gran prosperidad. Esto es significativo teniendo en cuenta la tendencia a volcarse hacia los microemprendimientos y los negocios en las casas en la población en general.

Por otra parte, mientras que en el nivel nacional los microemprendimientos registran una tasa de fracasos de cerca del 85% durante los primeros 5 años, en el caso de los amish, ésta es inferior al 5%. ¿Cómo se explica que estos amish empresarios, a pesar de haber cursado sólo hasta el octavo año (muchos de ellos no cuentan con avances tecnológicos como computadoras, ni siquiera teléfono o electricidad), alcancen un grado de éxito tan sorprendente?

Los investigadores que han estudiado este fenómeno identificaron cinco características fundamentales de estos emprendimientos exitosos:

- *Una ética de trabajo esforzado.* Dice Proverbios 10:4-5: «Las manos ociosas conducen a la pobreza; las manos hábiles atraen riquezas. El hijo prevenido se abastece en el verano, pero el sinvergüenza duerme en tiempo de cosecha».

- *Capacitación de los jóvenes a través del sistema de aprendices.* Hemos perdido el arte de la transmisión de saberes: los padres judíos siempre les enseñaban a sus hijos un oficio o profesión. Hoy criamos hijas e hijos que no pueden identificar sus áreas de vocación.

- *Operaciones en pequeña escala.* Siempre estamos prontos a creer que lo más grande es lo mejor. Con frecuencia es sólo eso: más grande.

- *Frugalidad y austeridad que llevan a bajos costos operativos.* En los emprendimientos de los amish, el dueño realiza trabajos concretos, no se limita a dirigir. No hay oficinas lujosas ni salones para las reuniones de junta; sólo lo básico y necesario. Al operar desde su hogar en la granja, muchos de ellos no tienen costos de alquiler o arrendamiento.

- *Calidad, singularidad y valor del producto.* En los Estados Unidos, el trabajo manual tiene fama de ser desprolijo y de mala calidad. Recuperar la calidad es una de las claves del éxito. La gente obtiene de los amish exactamente lo que espera de ellos: un trabajo de muy buena calidad.

Sus sorprendentes resultados se sustentan en principios básicos y muy simples. Indudablemente, la integridad, el carácter y los valores aseguran rentabilidad y permanencia.

ALGUNAS IDEAS SOBRE EMPRENDIMIENTOS NO TRADICIONALES

LAS FRANQUICIAS

Probablemente éste sea el modelo de emprendimiento más difundido en la actualidad. Usted puede adquirir mediante el pago de una tarifa acordada, el derecho a comercializar un producto o un servicio de una marca conocida. Un alto porcentaje de franquicias resulta exitoso. Habitualmente se paga un porcentaje de las ganancias en concepto de regalía o *royalty*. Las franquicias pueden ser muy costosas (medio millón de dólares) o muy accesibles (600 dólares), y no se limitan a McDonald's o el servicio de subterráneos; hay franquicias en todos los rubros imaginables. Hace poco, uno de mis clientes adquirió por 10.000 dólares una franquicia de viajes en crucero. Él y su esposa, trabajando en su casa, lograron vender paquetes de viaje en crucero por valor de 100.000 dólares en un período de 90 días, con una ganancia neta para ellos del 16%, es decir, 16.000 dólares. Recuperaron el dinero invertido y dieron comienzo a un negocio propio, a la vez rentable y que se disfruta.

OPORTUNIDAD DE NEGOCIOS

Existen otras modalidades de adquirir el derecho a comercializar un producto, que no están tan reglamentadas como las franquicias, por lo cual le recomiendo que continúe averiguando hasta que encuentre la opción más adecuada para usted. En este caso obtendrá un modelo de funcionamiento operativo, posiblemente un manual sobre cómo comenzar, y algún tipo de ayuda inicial de parte de la compañía matriz. A partir de allí, quedará librado a su propia iniciativa, pero no tendrá que pagar regalías mensuales en forma permanente como en el caso de las franquicias. En los Estados Unidos, las empresas que ofrecen este tipo de acuerdos son Merry Maids, Merle Norman Cosmetics, Liberty Tax Services, ServiceMaster y Furniture Medic. Si desea obtener más información, puede consultar revistas y publicaciones especializadas. No presuponga que todas estas propuestas son una estafa o un engaño. Reúna la mayor cantidad de información posible con el fin de aprender lo necesario y, entonces, podrá identificar la opción que mejor responda a su perfil y expectativas.

CONCESIÓN DE LICENCIAS

Puede vender camisetas NASCAR o palos de golf Tiger Woods, pero deberá pagar una licencia por el uso de una marca reconocida. A cambio, obtiene el beneficio del poder de mercadeo de una marca conocida que le asegurará un rápido ingreso al mercado. Si se limita a comprar camisetas, jarros, banderas y otros artículos por el estilo de un fabricante establecido, la concesión de licencia ya ha sido acordada, y usted sólo debe ocuparse de generar ventas.

DISTRIBUCIÓN

Por lo general, es posible obtener la distribución de un producto simplemente elevando una solicitud al fabricante o a las editoriales. En mi caso, por ejemplo, soy distribuidor para varias editoriales. Obtengo un 50% de descuento en la compra de libros, y también estoy atento a los excedentes o saldos de libros que puedo adquirir con grandes descuentos de hasta un 95%, para aumentar mi margen de ganancias. Si es aficionado a las herramientas para jardinería, equipamiento deportivo, accesorios de golf o productos para mascotas, es muy posible que pueda solicitar un contrato de distribución.

NEGOCIOS EN EL HOGAR

Tal vez, en el comienzo, deba comprar un pequeño inventario de productos y recibir algún tipo de capacitación, pero básicamente trabajará por cuenta propia. La ventaja es que los costos son mínimos y que no debe efectuar ningún pago a la compañía donde adquirió los productos.

He aquí algunas ideas de actividades que puede encarar por cuenta propia:

Contabilidad.
Servicios personales.
Pintar retratos.
Diseño gráfico.
Preparar cestos de regalo.
Ventas.
Decoración de interiores.
Paisajista.
Pintar casas.
Venta de automóviles usados.
Asesoramiento en nutrición.

Colocación de ventiladores de techo.
Sistemas de seguridad para niños.
Espectáculo unipersonal.
Huerta orgánica.
Quitar árboles.
Construcción y colocación de pisos de madera y revestimientos.
Asesoramiento sobre la opción de educar en el hogar.
Cuidar mascotas (cuando los dueños viajan).

Órdenes de envío por correo.
Fotografía aérea.
Mercadeo en Internet.
Organizar bodas.
Cuidar personas mayores.
Fotógrafo de bodas.
Asesoría informática.
Redactar boletines de noticias.
Servicio de entregas a domicilio.
Ventas en mercado de pulgas.
Inspección de hogares.
Pintura de vidrios.
Hidrolavado.
Cultivo de hierbas.

Servicio de comidas.
Guía de turismo.
Limpieza de chimeneas.
Búsqueda de becas universitarias.
Venta de globos.
Fotografiar inmuebles.
Recopilar cupones de descuento.
Agente de importación/exportación.
Limpieza y cuidado especializado de automóviles.
Hacer folletos sobre procedimientos e instrucciones.
Cursos de buenos modales y etiqueta.

Añada sus propias sugerencias a la lista. Busque en los avisos clasificados publicados en revistas y periódicos.

••

PROPUESTAS PARA TRABAJAR EN SU CASA QUE SON ESTAFAS

Seguramente ha visto avisos en los periódicos, los postes de teléfono o su casilla de correo: «¡Gane 1000 dólares diarios!» Acabo de recibir uno que ofrece: «Millonario en 30 días, ¡garantizado!» Otros afirman: «¡No necesita experiencia previa! ¡Viva una gran vida!» Pero ya conoce el dicho: «Demasiado bueno para ser cierto», y si realmente le parece demasiado bueno, probablemente no sea cierto. Una y otra vez escucho acerca de personas que enviaron el dinero para pagar la inscripción, o que pagaron un seminario o 3500 dólares por un curso de informática que les aseguraría el éxito. El deseo de muchas personas de liberarse del yugo del trabajar de 8 a 17 todos los días los hace vulnerables a este tipo de estafas.

Algunas sugerencias para reconocer una estafa:
- Si el anuncio está plagado de mayúsculas y signos de exclamación, encienda una luz de alerta.
- Si le dicen que podrá ganar enormes sumas de dinero con muy poco trabajo o sin trabajar, no les crea.

- Si el aviso no es claro y no ofrece datos concretos, le están tendiendo una trampa.
- En los Estados Unidos, si le indican que solicite información a un número con extensión 900, se trata de un engaño.

Una de las modalidades más antiguas de avisos clasificados fraudulentos son las propuestas de trabajo en el hogar. En muchos casos le piden al interesado que pague para recibir instrucciones, capacitación o materiales antes de obtener los beneficios que les prometen. Ofertas de trabajo para llenar sobres, montaje de piezas, artesanías o cursos sobre cómo ganar dinero son algunas de los engaños más comunes.

Si vive en los Estados Unidos, puede comunicarse con la agencia Better Business Bureau en su zona, o visitar el sitio de la Comisión Federal de Comercio en www.ftc.gov/bcp/conline/pubs/invest/homewrk.htm para obtener información sobre cómo impedir este tipo de estafas.

PREGUNTAS FRECUENTES SOBRE EL SURGIMIENTO DE NUEVOS EMPRENDIMIENTOS

1. *¿Dónde radica el atractivo de estos nuevos emprendimientos?* En los Estados Unidos, crece día a día el número de personas que busca tener mayor control sobre su vida y la oportunidad de generar ingresos a partir del desarrollo de sus habilidades personales. La mayoría de la gente no está tan interesada en la riqueza material como en la libertad de ser dueña de su tiempo. Más de 800.000 estadounidenses comienzan un negocio propio cada año, y el número sigue creciendo.

2. *¿Cuáles son los ingredientes clave para alcanzar el éxito?* La capacidad de planificar, organizar y comunicar. No olvide que el 85% de su éxito dependerá de sus habilidades personales: actitud, entusiasmo y autodisciplina, y sólo un 15% se deberá a su capacidad técnica.

3. *¿Acaso no es verdad que la mayoría de estos emprendimientos fracasa?* Hace algún tiempo, alguien fabricó esta estadística de que cuatro de cada cinco microemprendimientos fracasan en los primeros cinco años de gestión. Nadie ha podido determinar la procedencia de estas misteriosas cifras que, además de carecer de lógica, son absolutamente falsas. Un censo realizado por Dun & Bradstreet en 250.000 emprendimientos, mostró

que el 70% continuaba operando después de 12 años de haber iniciado las actividades. El estudio precisó que la tasa real de fracaso de todos los emprendimientos se ubicaba por debajo del 1% anual («Business Beat», revista *Entrepreneur*, julio de 2002).

Actualmente estamos recogiendo información que nos ayuda a entender los datos sobre emprendimientos que continúan operando. Conociendo las características de los empresarios, sabemos que con frecuencia simplemente deciden dejar un emprendimiento para comenzar otro diferente. Eso no significa que el anterior hubiera fracasado o no fuera rentable; sencillamente decidieron encarar un nuevo emprendimiento.

4. *¿Es verdad que el número de estos emprendimientos seguirá creciendo?* Muchos de ustedes ya han experimentado los despidos de personal que han hecho las grandes corporaciones. IBM, General Motors y otras empresas emblemáticas de los Estados Unidos han reducido significativamente su plantilla. Las cifras más recientes de la Oficina de Estadística del Departamento de Trabajo de los Estados Unidos muestran que en el período comprendido entre julio de 2002 y julio de 2004 se presentaron cerca de 4 millones de reclamos por desempleo, es decir, cerca de 165.000 por

> *"Nunca se ha logrado nada excepcional que no haya sido por aquellos que se animan a creer que algo dentro de ellos era más fuerte que las circunstancias."*
> —BRUCE BARTO

mes. La buena noticia es que, desde 1982, el número de pequeñas empresas creció un 50% y ahora ronda los 24,5 millones. En los últimos 10 años, el 71% de los nuevos empleos que se crearon corresponde a las pequeñas empresas, que generan más de 2 millones de nuevos puestos por año. Actualmente, las pequeñas empresas emplean el 54% de la fuerza laboral de los Estados Unidos. Estamos presenciando un saludable retorno al tipo de empresa sobre la cual se construyó nuestra nación.

5. *¿Será posible encontrar nuevas ideas?* Los especialistas estiman que más del 85% de los productos y servicios que usamos hoy, serán obsoletos dentro de 5 años. El avión, la grabadora, la válvula cardíaca artificial, los lentes de contacto y la computadora personal son ejemplos de nuevas ideas de los últimos años. Los cambios que hoy vemos en el mercado hacen pensar que habrá miles de oportunidades para nuevas ideas. Recuerde que actualmente hay más de 5 millones de personas que trabajan a través de Internet; diez años atrás nadie hubiera podido imaginar la existencia de esta fuente de trabajo.

6. *¿Qué ocurre si no soy una persona creativa?* No es necesario ser original para tener éxito en los negocios. Si puede ofrecer un producto cuya calidad supere en un 10% la oferta del mercado o si le puede agregar valor a un producto, puede alcanzar un éxito extraordinario. En los Estados Unidos, cuando la empresa Domino entró en el negocio de la pizza, no ofreció pizza de mejor calidad ni a más bajo precio; simplemente le agregó el valor «entrega a domicilio» a un producto muy conocido. Domino supo responder al deseo de rapidez y comodidad del público, y gracias a ello se hicieron millonarias muchas personas a todo lo ancho del país. Debe saber, además, que la creatividad no es atributo de la inteligencia sino de la imaginación. ¿Alguna vez conoció a un niño que no tuviera imaginación? Pues también usted la tiene. Tal vez necesite redescubrir al niño que sigue siendo parte de su ser.

7. *Si comparto mi idea, ¿es posible que me la roben?* Ideas hay a montones. En realidad, no es la idea en sí misma la que determina el éxito, sino el plan de acción para ponerla en práctica. Comparta su idea con otros y pídales su opinión. Póngala a prueba con sus familiares y amigos. Fabrique un prototipo y vea si la gente se muestra interesada en comprarlo. Luego póngase en marcha para crear una empresa que le dé sustento a esa idea. Es mayor el riesgo que corre al no compartir su idea y privarse de escuchar opiniones que enfrentar la remota posibilidad de que alguien se la robe. Todo el mundo está ocupado con sus propios asuntos. Por último, concretar y cristalizar una idea requiere mucho tiempo y esfuerzo. Probablemente usted sea la única persona con suficiente motivación y ambición como para llevar adelante el proyecto.

8. *¿Debería optar por una franquicia, una distribución o un negocio con una empresa?* El atractivo de este tipo de emprendimiento es que se trata de sistemas de comercialización que ya se han probado. Normalmente, esto significa transitar caminos conocidos, recibir apoyo en mercadotecnia y trabajar con una marca reconocida. Sin embargo, agregaré una palabra de advertencia: asegúrese de hacer una cuidadosa investigación para evitar pagar un precio excesivo por algo que podría hacer usted mismo.

9. *¿Debería comprar un emprendimiento que ya existe?* Un emprendimiento promedio cuesta 120.000 dólares, en los Estados Unidos, al menos. Esto implica un pago inicial de 40.000 o 50.000 dólares, y comúnmente reportará ganancias netas entre 35.000 y 45.000 dólares anuales. Además, deberá tener importantes recursos financieros que le aseguren

capital operativo. La propuesta no resulta muy atrayente. Es verdad que hay posibilidades de hacer buenos negocios con emprendimientos ya existentes, pero averigüe el motivo de la venta y todo lo relativo a los bienes tangibles. Los emprendimientos en el área de servicios, los que trabajan a través de Internet o los negocios en el hogar son difíciles de valuar y probablemente ni siquiera tengan bienes tangibles. Tal vez le resulte más conveniente idear algo nuevo y comenzar su propio emprendimiento.

10. *¿Hay alguna característica en particular que sea fundamental para tener éxito en los negocios?* Sí, es preciso tener habilidad para las ventas. Un negocio que ofrezca el mejor producto o servicio fracasará si no cuenta con alguien con habilidad para las ventas. Afortunadamente, dadas las características del mercado actual, eso no significa que debe ser un Donald Trump o un Ted Turner para tener éxito. Puede hacer que el modelo de venta se ajuste a su perfil, a lo que sabe que puede hacer. Puede desarrollar un modelo que no requiera hablar con el cliente, pero debe tener un sistema de ventas o no logrará sobrevivir.

CUENTA REGRESIVA HASTA LLEGAR EL TRABAJO QUE LE GUSTA

1. ¿Qué le sugiere la palabra *empresario*?
2. ¿Tiene todo lo que se necesita para trabajar por cuenta propia?
3. ¿Es usted un empresario «por accidente»?
4. ¿Qué tipo de servicios o productos podría promocionar?
5. ¿Qué invento podría desarrollar?
6. ¿Cuáles son esas tres o cuatro ideas que ha tenido en «la reserva» a través de los años, o que ha visto que otros las llevaron a la práctica?
7. Describa tres o cuatro oportunidades en su experiencia laboral en que le han pagado por los *resultados* obtenidos o por completar un trabajo, en lugar de considerar simplemente el *tiempo* que le dedicó.
8. ¿Qué cosas le impedirían encarar un trabajo por cuenta propia?
9. La idea de ser su propio jefe, ¿le resulta estimulante o lo atemoriza?

De zorrillos, trapos y caramelos

Cierto día, la madre del futuro magnate de Microsoft, Bill Gates, entró a la habitación donde se hallaba el niño y lo encontró sentado, sin hacer nada. Entonces le preguntó a su hijo qué estaba haciendo. «Estoy pensando, mamá, estoy pensando», fue su respuesta.

WALTER ISAACSON, *IN SEARCH OF THE REAL BILL GATES*
[EN BUSCA DEL BILL GATES REAL]

No es posible agotar la creatividad;
cuanto más la usas, más tienes.
Lamentablemente a menudo la sofocamos
en lugar de alimentarla.
Debemos crear un ambiente
que estimule nuevas formas de pensar,
de percibir, de cuestionar.

—MAYA ANGELOU

Lo que realmente necesito es tener clara conciencia de lo que debo hacer,
no de lo que debo conocer [...]
Lo que importa es comprenderme a mí mismo [...]
Saber lo que Dios quiere que yo haga [...]
Encontrar una idea por la cual pueda yo vivir y morir.

—SÖREN KIERKEGAARD

[Texto en español tomado de «La zozobra de llamarse Kierkegaard», Alberto Constante, revista electrónica *Razón y palabra*, México, agosto-septiembre de 2005, http://www.cem.itesm.mx/dacs/publicaciones/logos/anteriores/n46/aconstante.html]

Es sabido que los tiempos de cambio nos ayudan a descubrir nuevas posibilidades. Hace muy poco Joanne y yo nos mudamos a una casa en el campo. Nos encanta el silencio, la quietud, y vivir rodeados de naturaleza. Pero descubrimos que ese entorno natural incluyó la visita nocturna de una pareja de zorrillos que decidieron vivir debajo de nuestra casa. Su regalo de bienvenida fue despedir un olor fétido que estuvo a punto de hacernos abandonar la vivienda y hospedarnos en la posada más próxima. Mientras estudiábamos las opciones tratando de ver quién quedaría finalmente en posesión de la morada, alguien nos recomendó consultar a All Paws, un microemprendimiento de servicio a cargo de un joven llamado John, que se dedica a liberar casas y jardines de cualquier animal que tenga «patas con almohadillas» (de ahí el nombre «Paws», en inglés). John vino a casa y colocó trampas con el objeto de transportar a nuestros amigos a otro lugar, y luego colocó alambre tejido para impedir que los pequeños granujas volvieran a visitarnos (a propósito, John es músico y toca con un conocido intérprete de música country. Este trabajo es simplemente una manera de consolidar sus ingresos).

> *Quien rechaza el cambio es el arquitecto de la decadencia. La única institución humana que rechaza el progreso es el cementerio.*
> —HAROLD JAMES WILSON

¡Vaya idea novedosa para un negocio! John cobra 55 dólares por colocar las trampas y 50 dólares por cada animal que atrapa y traslada. Me dijo que habitualmente coloca entre 15 y 20 trampas, recoge 4 o 5 y termina de trabajar a las nueve de la mañana. No es difícil hacer el cálculo; si tuviera un empleo donde ganara 15 dólares por hora tendría que trabajar cerca de 65 horas semanales para duplicar este ingreso. Resulta obvio que no le quedaría mucho tiempo para tocar la guitarra. Como ocurre con muchísimas muy buenas ideas para emprender negocios, no se trata de algo novedoso ni revolucionario; es una idea sencilla llevada a la práctica por alguien que ¡decidió hacer algo!

LOS TIEMPOS CAMBIAN

En 1970, Alvin Toffler escribió su famoso libro *El shock del futuro*, un trabajo señero sobre los efectos del cambio en la sociedad. Toffler predijo que millones de personas corrientes, con una psiquis normal, confrontarían de manera abrupta con el futuro, y que a muchas de ellas les resultaría cada vez más angustiante responder a la incesante demanda de cambio, característica de esta época.

Sus predicciones resultaron sorprendentemente acertadas. Según Peter Drucker, nos encontramos dentro de un período histórico –los 40 años comprendidos entre 1970 y 2010– que verá más cambios que los que el mundo jamás había visto. Y conforme nos aproximamos al final de este período, los cambios se sucederán con mayor rapidez. Nos estamos acercando a un tiempo en el que el 50% del empleo será trabajo contratado o contingente, un empleo de características muy diferentes de aquel para el que nos prepararon nuestros padres y abuelos.

Millones de estadounidenses sufren el impacto de enfrentar un futuro muy diferente del que esperaban.

El futuro ya está aquí

Las víctimas de esta ola de cambio no son difíciles de identificar. Son los 179.000 cajeros a los cuales reemplazaron los cajeros automáticos, los 47.000 empleados de correo que reemplazaron los sistemas de reconocimiento óptico, los 6.000 operadores de las empresas telefónicas reemplazados gracias a la tecnología de reconocimiento de voz, y los empleados de las tiendas que fueron reemplazados por los sistemas de autoescaneo. Entre ellos también se encuentran los 334.000 trabajadores del acero y la industria del automóvil y los 380.000 trabajadores de la confección que han visto sus empleos emigrar a otros países. Se están produciendo cambios de todo tipo, económicos, sociales, culturales, tecnológicos y políticos a ritmo acelerado.

> *Muéstrame un hombre plenamente satisfecho y yo te mostraré un fracaso. Creo que la inquietud es descontento, y el descontento no es otra cosa que el primer paso hacia el progreso.*
> —Thomas Alva Edison

Cómo aprovechar las oportunidades

Y sin embargo, el mundo siempre ha estado sometido al cambio. Hubo un momento en la historia de este país en que aproximadamente el 79% de los trabajadores pertenecía al sector agrícola. Hoy esa cifra está por debajo del 3%. ¿Cuál fue el destino del 76% restante? Cuando aparece un Eli Whitney que inventa la desmotadora de algodón, ¿cuál es el destino de los trabajadores rurales reemplazados por la nueva maquinaria? Cuando un robot reemplaza a 16 hombres en una cadena de montaje, ¿qué ocurre con estos operarios? ¿Quedan relegados a una situación de desempleo y a una vida de frustración, o es posible que ese desplazamiento sea un estímulo para alcanzar un nivel más alto de plenitud y satisfacción?

Hemos transitado estos cambios y transformaciones al pasar de la era de la agricultura a la era industrial, luego a la era tecnológica, y en el presente, la era de los servicios y la información. En cada cambio está presente el germen de una nueva oportunidad. Éste es uno de los principios fundamentales del libro de Napoleon Hill *Think and Grow Rich* [Piense y hágase rico]: «Cada cambio es portador de nuevas oportunidades».

> *La vida pertenece a los vivos, y el que está vivo debe estar preparado para cambiar.*
> —JOHANN WOLFGANG VON GOETHE

Como ocurrió en otros momentos de nuestra historia, necesitamos personas creativas que perciban las necesidades, que vean las oportunidades en lugar de detenerse en los obstáculos, y que sean capaces de crear un futuro nuevo. Si de confusión se trata, alcanza y sobra con la confusión que reina en el mundo secular, pero seguramente los que contamos con la visión y la guía de Dios podremos ver con más claridad en qué dirección marchar. Pero sabemos que hoy, como ocurrió en cada etapa del desarrollo de esta nación, las mejores oportunidades seguramente no tendrán semejanza con lo que conocimos en el pasado. Es probable que hoy las mejores oportunidades laborales no impliquen marcar tarjeta, tener un automóvil de la empresa o un seguro de salud y plan de jubilación; es probable que no impliquen cumplir un horario de 8 a 17, ni siquiera concurrir a una oficina.

CÓMO EJERCITAR NUESTRA MENTE

Muchas veces, nuestras experiencias pasadas nos impiden explorar nuevos caminos. Tendemos a ver limitaciones que quizá no son reales.

Le propongo algunos problemas de ingenio que lo obligarán a apartarse del pensamiento lineal (vea las respuestas al final del capítulo).

- Un autobús que transportaba quince pasajeros tuvo un accidente y todos los pasajeros excepto nueve murieron. ¿Cuántos sobrevivientes hubo?
- ¿Cuántos animales de cada especie llevó Moisés en el arca?
- El señor Jones conducía su vehículo por la autopista, y su hijo viajaba junto a él en el asiento delantero. La carretera estaba resbaladiza a causa de la helada. Al tomar una curva, el automóvil derrapó y chocó contra un poste de teléfono. El señor Jones resultó ileso pero su hijo sufrió la fractura de varias costillas. Una ambulancia lo transportó hasta el hospital más cercano. Llamaron al cirujano de guardia, quien al ver al paciente dijo: «No puedo operarlo; es mi hijo». ¿Cuál es la explicación?

SENTARSE A PENSAR

Henry Ford dijo en cierta ocasión que no quería ejecutivos que tuviesen que trabajar todo el tiempo. Insistía en que aquellos que estaban en constante actividad en sus escritorios no eran los más productivos. Quería gente que quitara los papeles del escritorio, pusiera los pies en alto y fuera capaz de soñar nuevos sueños. Su filosofía era que sólo quien puede darse el lujo de disponer de tiempo puede producir ideas creativas.

¡Sorprendente! ¿Cuándo fue la última vez que su jefe le dijo que dejara de trabajar y dedicara más tiempo a soñar? Desgraciadamente, nuestra cultura parece atribuirle un encanto especial al hecho de estar bajo presión. Tener mucho que hacer y muy poco tiempo es un distintivo de éxito. ¿Lo será?

> *Nuestra mente, una vez desplegada, jamás vuelve a replegarse.*
> —OLIVER WENDELL HOLMES

El apóstol Pablo caminaba largas distancias entre una ciudad y otra, y usaba ese tiempo para pensar y conversar. Andrew Carnegie solía pasar horas en una habitación vacía para poder sentarse a pensar.

Thoreau caminaba sin rumbo por el bosque en los alrededores de Walden Pond porque sabía que ese tiempo libre preparaba un terreno fértil para el pensamiento creativo. Yo crecí en una granja en Ohio donde nos levantábamos al amanecer y nos acostábamos poco después de la puesta del sol. Un cambio inesperado en las condiciones climáticas nos permitía tener un tiempo de esparcimiento y un tiempo para soñar.

Los vecinos tenían tiempo para sentarse a conversar y asistir a cualquier cita «en forma directa», ya fuera diez minutos o un par de horas.

Si siente que no logra avanzar, tal vez la solución no sea hacer más de lo que hace, sino tomarse un descanso del ajetreo de la vida. Pruebe la propuesta de sentarse a pensar.

Es posible amar el trabajo, pero para ello quizá deba tomar parte activa en la creación de un trabajo que ame, en lugar de seguir mirando a su alrededor y ver qué oferta de empleo está a su alcance. No puede conformarse con menos que eso si de veras desea estar preparado para aprovechar las nuevas oportunidades y tener capacidad de respuesta frente los cambios no deseados. Puede vivir una vida llena de aventura y satisfacciones. El escritor ruso Máximo Gorky dijo: «Cuando el trabajo es placentero, la vida es alegría; cuando el trabajo es una obligación, la vida es esclavitud». La satisfacción en el trabajo influye en la satisfacción que obtenemos en la vida. La felicidad estriba en amar lo que uno hace sabiendo que es un aporte positivo a la socie-dad. Si no encuentra alegría en su vida, tal vez sea tiempo de buscar nuevas opciones.

> *El mundo odia el cambio; sin embargo, es lo único que nos ha permitido progresar.*
> —CHARLES F. KETTERING

Joyce se sentía frustrada en su trabajo como representante de ventas de un laboratorio. Cinco años atrás había invertido todo su dinero en abrir una pastelería. Sus originales creaciones en repostería tuvieron inmediata aceptación entre el público, y el número de clientes creció enormemente después de que los medios repararan en su negocio y éste se mencionase en revistas especializadas a nivel nacional. Ocho meses más tarde se declaró en quiebra. A pesar del interés del público en sus sabrosos y atractivos productos, el manejo de los aspectos administrativos –alquiler, permisos para letreros, la situación de los empleados y la compra de equipos– resultó una carga demasiado pesada. Pero esa sensación de tener algo propio nunca desapareció del todo. Hoy Joyce y su hijo tienen un puesto de venta de *hotdogs*, en el que invirtieron un total de 3800 dólares, y obtuvo una concesión en exclusividad para instalarse frente al supermercado de su zona de viernes a domingo. Joyce y su hijo disfrutan de la relación con los empleados y clientes del supermercado, muchos de ellos habituales y totalizan cerca de 1500 dólares de ganancias líquidas por fin de semana, mientras Joyce sigue trabajando como representante de ventas para el laboratorio. La solución no fue una cosa u otra, sino encontrar la manera de combinar los beneficios de ambas opciones.

«AFÉRRATE A TUS SUEÑOS»

Langston Hughes fue un poeta, novelista y dramaturgo afroamericano que tuvo un papel destacado como intérprete de las relaciones interraciales en los Estados Unidos. Hughes recibió influencias de la Biblia, de William Edward Burghardt Du Bois y de Walt Whitman, y una de las características de sus poemas es el ritmo. Su poesía está escrita para leerse en alta voz, para cantarla o gritarla. ¿Por qué no prueba leer este poema en alta voz, y repetirlo una y otra vez? ¡Vamos, anímese! Le hará bien.

Aférrate a tus sueños.
Si los sueños mueren,
la vida es como un pájaro con el ala quebrada;
no puede volar.
Aférrate a tus sueños.
Si los sueños desaparecen,
la vida es como tierra estéril
cubierta de nieve.

ALTA TECNOLOGÍA: VENTAJAS Y DESVENTAJAS

En su libro *The End of Work*, Jeremy Rifkin afirma que ha llegado la era de la información. En los años que vendrán, el desarrollo de software cada vez más sofisticado llevará a la civilización al borde de un mundo sin trabajadores. El reemplazo a gran escala de personas por máquinas obligará a los países a repensar el papel del ser humano en la economía de cada sociedad.

El teólogo John M. Drescher cuenta la historia de un agricultor que año tras año ganaba el primer premio por la calidad de su maíz. Sin embargo, cada año este hombre compartía su mejor semilla con sus vecinos. Alguien le preguntó:

—¿Cómo espera seguir ganando el primer premio si comparte su semilla con los demás?

—Creo que usted no entiende —le respondió el agricultor. El viento lleva el polen de un sembradío a otro. Si quiero tener el mejor maíz, debo ocuparme de que mis vecinos también tengan el mejor. Si ellos cultivaran un maíz de calidad inferior, la polinización cruzada afectaría la calidad del mío.

Lo mismo ocurre con todas las áreas de nuestra vida. Todos cultivamos una tierra común. La calidad de nuestra vida guarda una relación directa con la calidad de vida de nuestros vecinos.

> *Aprende a detenerte...*
> *de lo contrario,*
> *nada verdaderamente*
> *valioso logrará*
> *alcanzarte.*
> —DOUG KING,
> POETA

La capacidad de innovar siempre ha sido una poderosa fuerza en la cultura estadounidense. El automóvil, el jet, el aire acondicionado, el teléfono y el fax han borrado las distancias y han convertido el mundo en una aldea global. Hemos visto cómo las comodidades de la vida moderna se han convertido en aparente necesidad. ¿Quién no ha pensado en la insidiosa intromisión de la tecnología al escuchar un teléfono celular durante una clase de la Escuela Dominical?

A menudo, el trabajador moderno, debido a la necesidad de ser competitivo, ofrece el número de teléfono de la oficina, de su casa, el celular y el fax, además de dos direcciones postales, porque así asegura disponibilidad inmediata.

Según estimaciones, una edición diaria del periódico *The New York Times* contiene más información que la que una persona corriente en Inglaterra en el siglo XVII llegaba a conocer en toda su vida. La información es abundante, se transmite a gran velocidad (la velocidad de procesamiento de las computadoras se ha duplicado cada 2 años durante los últimos 30), y se presenta con mayor frecuencia. En 1971, el estadounidense promedio se veía expuesto al menos a 560 avisos publicitarios diarios; hoy, el número de avisos asciende a 3000.

Aunque históricamente siempre hemos buscado obtener más información, ahora vemos que demasiada información nos vuelve ansiosos, menos eficientes y, a veces, llega a enfermarnos. En inglés se ha creado una nueva terminología: *data smog* [información + *smog*], en clara referencia al concepto de contaminación, para describir los elementos nocivos de la era de la información. El exceso de información interfiere con nuestras vidas, nos impide tener tiempos de silencio y de contemplación, que tanto necesitamos. Puede arruinar nuestra conversación o la posibilidad de disfrutar de la literatura clásica y hasta de las formas más sencillas de entretenimiento, como los rompecabezas o los juegos en familia.

Sin embargo, la disponibilidad de la información y la velocidad de los cambios no se reducirán; por el contrario, se intensificarán. ¿Somos víctimas o beneficiarios de toda esta nueva información y estos nuevos inventos? ¿Nos brindarán nuevas oportunidades o nos crearán problemas? ¿Cuál debe ser la respuesta de los cristianos: guiar, seguir o quitarse de en medio? Sin duda, en cada caso estamos frente al proverbial vaso de agua: podemos verlo mitad lleno o mitad vacío. Mi sugerencia es que seamos creadores, pero que no nos dejemos dominar por nuestras creaciones.

> *No correr riesgos es como practicar surf en medio metro de agua. Seguramente no se va a ahogar, pero en esa profundidad jamás conseguirá una buena ola. No correr riesgos es la más peligrosa de las estrategias. Por el contrario, los que suscriben a la corriente Break-It [Hazlo] corren riesgos, rompen reglas, rechazan convenciones y hacen del cambio su aliado.*
> —ROBERT KRIEGEL, *IF I AIN'T BROKE... BREAK IT!*
> [SI NADIE LO HA HECHO... ¡HAZLO!]

Administro una biblioteca virtual que reúne los materiales de *48 días*. No tenemos un espacio físico ni alquiler de instalaciones ni permiso de cartel publicitario; no hay empleados ni horario de trabajo establecido. Los clientes visitan nuestra «tienda» 168 horas a la semana y tienen libertad de revisar el material mientras yo estoy durmiendo, viajando con mi esposa o jugando con mis nietos. Suelo decirle a la gente que soy aficionado a las ganancias en dólares SWISS [en inglés, la palabra *swiss* tiene la primera letra de las palabras Ventas Mientras Duermo Profundamente].

Cada mañana reviso la cuenta bancaria para ver qué depósitos se hicieron durante la noche. No debo ocuparme de abrir la tienda ni me preocupa que haya un cliente, 50 o ninguno. No tengo gastos de electricidad y no necesito reparar estanterías ni pasillos. No tengo que tratar con el propietario del local ni preocuparme porque el mal tiempo o los trabajos de reparación en la calle puedan disminuir las ventas. Mientras que una librería tradicional tiene clientes en un radio de 8 km, yo tengo semanalmente clientes de todos los estados, y con bastante frecuencia, también del exterior.

Sólo necesito una pequeñísima porción de las compras del mercado potencial para que el negocio marche bien, mientras que la situación de las librerías tradicionales se vuelve más difícil cada día. Muchos de los productos que entrego son libros en formato electrónico, es decir, el cliente paga por el libro y luego lo imprime en su propia impresora. No tengo costos de impresión, empaque ni envío. No se trata de que esté bien o mal, correcto o incorrecto; es simplemente una modalidad comercial diferente. Tiene toda la libertad de visitarnos cuando guste; para mí, no será ninguna molestia: www.48days.com/products.php

A propósito, también enviamos gran cantidad de libros y CD reales todos los días. Eso está a cargo de una mamá que no sale de su casa. Trabaja en una habitación extra en su hermosa casa, recoge los pedidos en Internet, empaca, imprime las etiquetas UPS, y espera que pasen a recoger los paquetes. Si necesita tomar un descanso, no tiene que marcar tarjeta de salida ni pedirle permiso al jefe, y su trabajo no le impide atender a su hijo. A menudo trabaja en pijama, atendiendo a nuestros clientes con responsabilidad y consideración, pero sin necesidad de gastar en un costoso guardarropa. No pierde tiempo viajando al trabajo y tiene la libertad de trabajar a las diez de la noche o a las siete de la mañana. Mi negocio ha crecido enormemente gracias a estas «alianzas estratégicas» con personas que brindan servicios profesionales, algunos viven aquí, en mi vecindario, y otros están en diferentes partes del país. Es una nueva modalidad de trabajo para todos nosotros.

> *El mundo nunca vivirá feliz hasta que todos los hombres tengan alma de artista; quiero decir, cuando disfruten de su trabajo.*
> —AUGUSTE RODIN

LA ALTA TECNOLOGÍA GENERA OPORTUNIDADES

Un cristiano creativo y sensible va creciendo en su comprensión y valoración de nuevas ideas, de otras personas y del mundo en general. Un enfoque creativo de la realidad abre nuestra mente y eleva nuestro espíritu. Dios nos da creatividad e ingenio para que nos sintamos *vivos*. Debemos conducir los procesos en lugar de sentirnos víctimas, en tanto el mundo se torna más complejo y los problemas sociales son cada vez más difíciles de resolver.

La escuela, la familia, la iglesia y la comunidad nos confrontan con nuevas situaciones críticas que exigen soluciones nuevas. En muchos casos lo que está faltando es una buena dosis de originalidad, y cada cristiano maduro está llamado a aportar creatividad y discernimiento espiritual. Seguramente la solución no llegará a través de más información y más tecnología; la solución sólo puede llegar desde una aproximación humana y con sensibilidad espiritual.

Aun en el terreno laboral no es necesario ser un genio de la tecnología para sobrevivir y prosperar. La Oficina de Estadística del Departamento de Trabajo de los Estados Unidos prevé la creación de 50 millones de puestos de trabajo en los próximos 5 años, con innumerables oportunidades para los que tengan vocación de *pacificadores, sanadores* o *escritores*. De los 30 empleos de mayor crecimiento en la próxima década, 14 pertenecen al área de la salud, y no se trata sólo de médicos o enfermeras profesionales. Desde 1990 hasta la fecha se cuadruplicó el número de masajistas profesionales debido a que 77 millones de *baby boomers* –la generación nacida en la posguerra– se ven progresivamente aquejados de estrés y otras dolencias menores. La necesidad de consejeros y terapeutas crecerá significativamente conforme esta generación se acerca a la segunda mitad de su vida, una etapa de grandes cambios que también trae aparejados problemas de depresión.

En todo el mundo, las personas manifiestan mayor interés en asuntos espirituales y, como consecuencia, surge la necesidad de gente que dirija actividades religiosas y educativas. Se cree que se crearán más de 100.000 puestos para clérigos y directores de programas religiosos entre 1996 y 2006.

La necesidad de hallar maneras más sencillas y humanas de resolver los conflictos incrementará las oportunidades de trabajo en mediación y arbitraje. Una década atrás había 150 centros de mediación y arbitraje en todo el país; se sabe que hoy existen al menos 500.

Si Dios le ha dado el don de narrar historias, escribir o dirigir obras de teatro, tendrá muy buenas oportunidades a su alcance.

David trabajaba para un pequeño periódico local. Pero su sueño era ser payaso; sí, un payaso con nariz roja y grandes zapatones. Mientras discutíamos sus opciones, lo animé a buscar algo que le asegurara mayor regularidad de ingresos de lo que podía esperar de actuaciones en eventos especiales. Como tenía habilidad para redactar, escribió un libro de 24 páginas titulado *Mr. Tubby's Lemonade Stand* [El señor Tubby y su puesto de limonada]. Se dirigió a la imprenta local y lo publicó, con una tapa de colores brillantes y hojas sujetas por grapas. Libro en mano, logró acordar un horario para firmar ejemplares en ocho librerías, y mediante esa estrategia logró clientes que lo contrataron para fiestas de cumpleaños, festivales y eventos empresariales.

Luego, ocurrió algo inesperado: la oficina nacional de Emprendimientos Juveniles lo contrató. David ignoraba que en los cursos sobre economía y emprendimientos que la oficina ofrece en escuelas secundarias se usa como modelo la construcción y administración de un puesto de venta de limonada. Actualmente, es orador para la oficina de Emprendimientos Juveniles, viaja por todo el país dando charlas y entregando miles de copias de su libro. He aquí otro ejemplo de comenzar con lo que uno realmente ama, y a partir de allí, dar un paso pequeño pero concreto.

Myron asistió a un seminario sobre carrera y vocación que di en Nashville, Tennessee. Al cabo de algunas semanas, se acercó y me habló sobre su frustración y su sensación de estar atrapado y sin opciones. No tenía estudios universitarios y trabajaba en la construcción, que era lo único que conocía hasta el momento. Estaba cansado y desmotivado por tener que trabajar para otra persona. Me preguntó acerca de la posibilidad de volver a estudiar y capacitarse en el área de informática, que parecía ofrecer mayores oportunidades de empleo. Le pregunté sobre sus áreas de competencia y las cosas que disfrutaba, incluido el rubro de la construcción. Mencionó algo que realmente le gustaba: un nuevo proceso de impresión de hormigón que permite lograr el efecto de piedras naturales. Le pedí que fuera a mi casa la semana siguiente.

Cuando Myron llegó, le mostré el lugar donde quería un sendero de líneas curvas que llegara hasta la puerta del frente. Quería una vereda de 1,5 m (5 pies) de ancho que rodeara la cascada que pensábamos construir. Lo entusiasmó la idea de dar respuesta a mis expectativas e imaginar cómo quedaría una vez terminado. Al ver su entusiasmo, decidí allí mismo que él debía hacer el trabajo. Como no tenía capital inicial, le adelanté la mitad del dinero para comprar los materiales necesarios. Trabajó duro y logró construir un hermoso sendero de líneas curvas que muy pronto dio lugar a comentarios de clientes y amigos que visitaban la casa.

A partir de ese comienzo tan sencillo, lo recomendamos para otros trabajos, y luego, esas personas lo recomendaron a otros lugares. Eligió un nombre, Lasting Impressions, y durante el primer año generó ventas que superaron los 100.000 dólares. Tiene su empresa, hace lo que le gusta y está aprovechando la experiencia de todos esos años de trabajo, cuando creía que sólo estaba ganando un sustento diario.

En estos últimos años he conocido a una señora que prepara envoltorios personalizados para caramelos; a un joven que recoge pedidos de tintorería de distintas empresas; a una pareja que corta telas con fallas para hacer trapos de limpieza; a un bombero que en sus días libres repara máquinas expendedoras de agua de Colonia y a una señora que prepara *cheesecakes* especiales para un restaurante en la zona.

La mayor parte de las buenas ideas para emprender negocios no son nuevas ni revolucionarias, sino ideas sencillas llevadas a la práctica por alguien que ¡decidió hacer algo! Una buena idea no le llena el bolsillo a nadie, pero si la combina con un plan de acción, puede darle la oportunidad de ser dueño de su tiempo y de tener ganancias ilimitadas.

CUENTA REGRESIVA HASTA LLEGAR
AL TRABAJO QUE LE GUSTA

1. ¿Quién ha emprendido un negocio exitoso después de haber sido despedido?
2. ¿Qué habilidades particulares posee que podrían servir de base para un emprendimiento creativo (redacción, dibujo, construcción, capacidad de análisis, canto, conducción de vehículos, capacidad de reflexión, etc.)?
3. ¿Tiene alguna idea que quedaría comprendida en la categoría de «los pacificadores, sanadores o escritores»?
4. ¿Se le ocurre alguna idea para generar ganancias SWISS, es decir, ganar dinero mientras duerme o se dedica a otra cosa?
5. ¿Se toma un tiempo para sentarse a pensar?
6. «Deléitate en el Señor, y él te concederá los deseos de tu corazón» (Salmo 37:4). ¿Cómo se relaciona esto con la idea de conformarse con un empleo que le resulta odioso?
7. ¿En qué medida la cultura, el entorno y su propia experiencia pueden llegar a limitar su capacidad de descubrir nuevas oportunidades?

Solución del ejercicio «Cómo ejercitar nuestra mente»
- Todos los pasajeros excepto nueve murieron; por lo tanto, hubo nueve sobrevivientes, ¡no seis!
- Consulte la Biblia. ¡No fue Moisés sino Noé!
- El cirujano era la madre del niño. Nuestra suposición es que sólo los hombres son cirujanos.

Conclusión

Hace muchos años, cuando se descubrieron diamantes en África, la fiebre de los diamantes se extendió como un reguero de pólvora por todo el continente. Fueron muchos los que tuvieron un golpe de fortuna en su búsqueda del precioso mineral y se hicieron millonarios de la noche a la mañana.

Por aquellos días, Lamar, un joven agricultor de África central, vivía dignamente trabajando una parcela de tierra de su propiedad. Pero pronto se apoderó de él el deseo de obtener las enormes riquezas que prometía el negocio de los diamantes, y llegó un día en que ya no pudo reprimir su deseo ni su ambición de ser un hombre rico. Vendió el campo, empacó lo imprescindible y se despidió de su familia para ir tras las maravillosas piedras.

Su búsqueda fue larga y penosa. Deambuló por varias regiones del continente, obligado a luchar contra los insectos y los animales salvajes. Durmió a la intemperie, soportó frío y humedad, y aunque buscó día tras día y semana tras semana, no encontró los preciados diamantes. Acabó enfermo, sin dinero y completamente desanimado. Finalmente, convencido de que no tenía nada por qué vivir, se arrojó a un río torrentoso y murió ahogado.

Entre tanto, en su tierra natal, el agricultor que le había comprado la tierra encontró una extraña piedra en el pequeño arroyo que cruzaba el campo. La llevó a su casa y la puso sobre la repisa de la chimenea como una curiosidad.

Un tiempo después, alguien visitó su casa y se fijó en la piedra de extraña apariencia. La tomó en sus manos y exclamó entusiasmado: «¿Sabes qué es esto? ¡Es un diamante! Es uno de los más grandes que he visto». Al estudiar a fondo el terreno, hallaron diamantes en todo el campo; de hecho, ese lugar llegó a ser una de las minas más ricas y productivas del mundo, y el agricultor se convirtió en uno de los hombres más ricos de África. (tomado de *The Speaker's Sourcebook* [El libro de recursos del orador], de Glenn van Ekeren).

Qué pena que Lamar no se tomó el tiempo necesario para investigar lo que tenía al alcance de la mano. En cambio, abandonó todo y se fue en busca de algo que siempre estuvo allí, delante de sus narices. El germen de nuevas oportunidades suele estar en lo que ya sabemos hacer o estamos haciendo. No crea que a los demás siempre les va mejor, o que debe emprender algo absolutamente nuevo y diferente para tener éxito.

Ayer fui a un funeral. Un cliente y amigo de 46 años conducía su automóvil para ir a trabajar cuando un automóvil que venía en dirección contraria lo embistió. Cuando llegó la ambulancia todavía tenía conocimiento, y lo primero que les dijo fue que no quería llegar tarde al trabajo. Lamentablemente, las lesiones internas fueron de tal magnitud que falleció cinco horas más tarde. Su esposa y sus hijos llegaron a tiempo para estar con él y despedirse. Durante el funeral, los presentes compartieron historias de este hombre que supo amar y vivir. Amaba a su familia y a su trabajo. Solía decirles a sus hijos que a él le pagaban por jugar. Esa armonía con su trabajo desbordaba y se dejaba ver en su amor por la familia, la iglesia y la comunidad.

Tenemos una tendencia a colocar el carro delante de los caballos. La búsqueda de la mejor carrera o el mejor empleo con frecuencia nos deja frustrados y desilusionados. Busque en primer lugar lo que usted verdaderamente ama. Eso le permitirá tener la confianza y el entusiasmo necesarios para tener éxito en espacios que otros ignoran.

La búsqueda del trabajo que le gusta es un proceso permanente. En cualquier etapa puede ser saludable revisar quién es, hacia dónde va y cómo piensa llegar. No importa si tiene 18 o 78 años. Sepa reconocer el valor de las circunstancias y de su actual experiencia de vida. La incertidumbre y la frustración en un empleo, o incluso la pérdida del empleo, a menudo pueden ser el empujón que necesitamos para ascender a un nivel de mayores logros.

A menudo recurro al ejemplo de las águilas: estas aves construyen el nido entretejiendo ramas de espino, que luego cubren con hojas y plumas para que sea suave y confortable. Pero cuando los aguiluchos han cumplido doce semanas de vida, el padre y la madre comienzan a quitar la protección contra las espinas. Muy pronto los pichones llegan al borde del nido para evitar el dolor y la incomodidad. Seguidamente, las águilas adultas vuelan con apetitosos bocadillos muy cerca de los pichones. El pequeño aguilucho teme que si abandona el nido, caerá y se estrellará contra las rocas, pero como la incomodidad se hace intolerable, el aguilucho pega un gran salto para alejarse de las espinas y alcanzar la comida, es entonces cuando descubre que puede volar. Muchas veces Dios permite que ocurran ciertas cosas en nuestra vida, no para dejarnos en una situación de hambre y dolor, sino para llevarnos a un nivel de mayor plenitud que de otro modo no nos hubiéramos animado a explorar. Considere las espinas en su situación presente como el estímulo para analizar nuevas opciones.

No lamente ninguna situación o experiencia del pasado; piense qué enseñanza extrajo en cada ocasión mientras elabora su plan para el futuro. Todos somos en parte fruto de acontecimientos que nos ayudaron a ser lo que somos y a estar donde estamos. Simplemente debe ver dónde se encuentra y elaborar un plan definido para el futuro que le gustaría tener. Al encarar este proceso de proyectarse de aquí a cinco años y definir claramente cómo y dónde quisiera estar, la incertidumbre de la situación actual comenzará a disiparse de inmediato.

Como he dicho en reiteradas ocasiones, se trata de un proceso individualizado. Defina claramente qué características tiene y cuál puede ser su aporte. Aun cuando deba enfrentar la realidad de tener que ganar su sustento, no está condenado a repetir lo que siempre ha hecho. Dios lo ha dotado de habilidades únicas. Identifique y ordene las habilidades valiosas y decídase a encontrar actividades que le permitan desarrollarlas y, a la vez, cumplir con su misión en la vida. Es necesario buscar opciones que contemplen sus múltiples objetivos de vida, que vayan más allá de un mero empleo o carrera.

> *No haga pequeños planes; no tienen la magia capaz de agitar las pasiones de los hombres, y probablemente jamás se concreten.*
> *Haga grandes planes; apunte alto en esperanzas y en trabajo, recordando que un diseño lógico y noble, una vez registrado, no muere jamás.*
> —DANIEL BURNHAM, ARQUITECTO DE CHICAGO

Debe reconocer cuáles son sus áreas de mayor fortaleza y cómo influyen en su capacidad organizativa y de liderazgo. Si tiene gran habilidad para las finanzas y administración, ésas son las áreas que debería explorar mientras analiza nuevas alternativas. Si tiene habilidad para organizar, planificar, diseñar sistemas y elaborar proyectos, pues entonces éstas son las áreas que debe abrazar durante el proceso de selección. Si reconoce que posee competencia técnica y capacidad de análisis y de cuidar los detalles, puede integrar todas estas habilidades aun cuando decida crear su propio emprendimiento. Estas características lo ayudarán a crear un modelo de mercadeo y ventas para su emprendimiento que no dependa de ventas cara a cara sino de sistemas ya establecidos. La alegría con que asume compromisos en la iglesia, la pasión por la fotografía, el deseo de aumentar los ingresos o la voluntad de colaborar con causas nobles y valederas, todo esto puede ser tenido en cuenta a la hora de descubrir y elegir una nueva dirección (recuerde a Eric Liddle en *Carros de fuego*: «Dios me hizo veloz, y cuando corro siento que a Él le complace verme»). No piense que éste es un tiempo en que debe ignorar sus verdaderas pasiones, aun cuando le parezca que las formas conocidas de llevarlas a la práctica no generan resultados en términos de ingresos. No olvide la parábola de los diez talentos. Si tiene la capacidad de aumentar sus responsabilidades y sus ingresos y canalizarlos sabiamente, entonces no hacerlo puede significar un mal ejercicio de mayordomía. Su deseo de ayudar, de servir a otros, de hacer algo perdurable en la vida de la gente y hacer un aporte positivo a la sociedad, son todos elementos que lo ayudarán a escoger la dirección correcta.

Me gusta la simbología implícita en las características de las águilas. Son animales fuertes, que se destacan del resto. Aunque tienen habilidad para elevarse por encima de todos los demás, tal vez les resultaría más fácil holgazanear, perder de vista su objetivo y conformarse con menos. Sin embargo, saben por instinto que para sobrevivir deben mantenerse alerta y tener iniciativa para buscar información, métodos y estrategias nuevos. Y nosotros debemos seguir su ejemplo.

En un mundo de cambios vertiginosos, una persona que no continúe creciendo, rápidamente quedará rezagada. Como ya hemos señalado, la segunda ley de la termodinámica establece que las cosas dejadas a su propia suerte tienden a deteriorarse. Nunca antes esto fue tan evidente. Las compañías, los individuos y hasta las iglesias que no estén dispuestos a buscar maneras novedosas de hacer su trabajo quedarán atrás.

Estamos en la era de los trabajadores del conocimiento y los nuevos aprendizajes son fundamentales. Continúe aprendiendo; no deje de estudiar al salir de la Facultad. Es posible que los títulos y la capacitación que recibió diez años atrás tengan poca validez hoy. Los modelos industriales y la tecnología que antiguamente se mantenían vigentes durante 40 o 50 años ahora se vuelven obsoletos en 4 o 5 años. Las computadoras sustituyen a las personas; la información, a la tecnología; y la medición de resultados a la medición de tiempo y esfuerzo. El crecimiento constante es un imperativo para mantener un lugar de valor en el mundo de hoy.

El cambio es inevitable; ¿cómo responderá ante él? Puede optar por retorcerse las manos y adoptar el papel de víctima o puede usar la creatividad que Dios le dio para descubrir hacia dónde Él quiere llevarlo. A cada uno de nosotros el Señor ha dotado de habilidades, capacidades, rasgos personales, valores, sueños y pasiones que son únicos. Deberíamos estar a la vanguardia como innovadores e inventores, como ejemplos de excelencia y plenitud en todo lo que hacemos. Si logramos crear un proyecto personal que integre nuestra misión y nuestro llamado, no nos sentiremos víctimas de los planes de reestructuración de las grandes corporaciones ni de ningún otro «shock del futuro». En cambio, aprovecharemos las nuevas oportunidades para alcanzar un nivel más alto de realización, de remuneración económica, y para descubrir nuevas maneras de ser bendición para quienes están a nuestro alrededor.

Después de haber considerado estas opciones, está en condiciones de crear su propio plan de 48 días. Usted puede hacerlo: *puede alcanzar el éxito que está buscando.* Haga su inventario, ponga la mira en sus objetivos, elabore un plan y actúe.

CUENTA REGRESIVA HASTA LLEGAR AL TRABAJO QUE LE GUSTA

1. ¿Qué acciones concretas puede implementar en las próximas 48 horas que lo pongan en camino hacia la meta que se ha propuesto?
2. ¿Qué idea vino a su mente mientras estaba en la playa o cortaba el césped, que podría valer más que toda una vida de trabajo esforzado?
3. ¿Siente que usted es fruto de las circunstancias o que es quien crea las circunstancias?
4. ¿Qué ideas germinales que estuvieron en su mente cinco años atrás le permitieron llegar hasta este lugar donde hoy se encuentra?

Apéndices

MODELOS DE CURRÍCULUM   195

MODELO DE CARTA DE PRESENTACIÓN   207

MODELO DE CARTA INTRODUCTORIA   208

MODELO DE CARTA DE SEGUIMIENTO   210

HOJA PARA COMPLETAR UNA
DECLARACIÓN PERSONAL DE MISIÓN   211

MODELOS DE DECLARACIÓN PERSONAL DE MISIÓN   212

(Utilice este formato si desea destacar su capacidad y sus aptitudes respecto de los lugares donde trabajó.) Observe que la descripción de aptitudes no queda encasillada en una determinada rama de actividad económica. La pertenencia a una compañía pasa a un segundo plano, y la descripción del perfil profesional de la persona resalta sus áreas de competencia a fin de facilitar el cambio a una nueva rama de actividad económica.

Nombre y apellido
Domicilio
Ciudad - Estado o departamento – Código postal
Teléfono

PERFIL PROFESIONAL

Más de catorce años ininterrumpidos en ventas profesionales y gerencia de ventas. Amplia experiencia en planificación, organización y supervisión de proyectos. Sólida formación en contratación, capacitación y supervisión de personal. Activo colaborador en el cumplimiento de los procedimientos y las políticas de la empresa. Firme compromiso con una ética del trabajo y con el logro de metas y objetivos trazados por la dirección de la empresa.

EXPERIENCIA PROFESIONAL

ADMINISTRACIÓN

En mi actual puesto de trabajo estoy a cargo de un plantel de veintiún empleados. En un período de tres años, las ganancias brutas aumentaron de 16,2 millones a 31,5 millones de dólares mientras que las utilidades antes de deducir impuestos se vieron incrementadas en un 200%. Tuve a mi cargo la capacitación y la evaluación del personal. Soy competente en negociación de indemnizaciones y resolución de conflictos. He desarrollado la capacidad de asumir diversas tareas y responsabilidades en forma simultánea. Tengo un claro perfil de liderazgo y un marcado sentido de responsabilidad ante la dirección de la empresa. Aporté valiosa información para una evaluación de mercado y planificación a largo plazo.

VENTAS

Obtuve la distinción «Gerente de Ventas del Año» en el ámbito nacional. Cerré la mayor cuenta comercial en el estado de Tennessee. Fui responsable de la negociación de cuentas con South Central Bell y con la nueva Columbus Arena. Cerré el primer nivel del programa de cuentas con 48 sucursales regionales, con un volumen superior a los 200.000 dólares anuales. He logrado una interacción eficaz con figuras clave en el ámbito comunitario y empresarial. Desarrollé la capacidad de identificar las necesidades del cliente y de encontrar un punto de equilibrio entre sus necesidades y las metas y las políticas de la empresa. Mi compromiso personal es lograr incrementar las ventas y la confianza del cliente dentro de un marco de absoluta integridad.

DESARROLLO ORGANIZACIONAL

Elaboré un concepto de mercadotecnia interna que tuvo muy buena repercusión y fue fue lanzado en el ámbito nacional en 2001. Puse en marcha un programa piloto «Pricing for Profit» (Una política de precios en función de las ganancias) en 300 oficinas en todo el país mediante la incorporación del programa informático TeleMagic. Diseñé un uso de las computadoras *palmtop* que permite racionalizar la eficiencia de los representantes locales. Instrumenté un análisis de las cifras de ventas y las tendencias del mercado con el propósito de aumentar las ventas.

ANTECEDENTES LABORALES

El listado de las empresas debe incluir los siguientes datos:

Nombre de la empresa   – Ciudad y estado o departamento
Cargo que desempeñó   – Período durante el cual trabajó

EDUCACIÓN

Nombre de la institución (facultad, universidad, instituto superior, etc.)
Ciudad y estado o departamento   – Año de inicio y finalización
de estudios

PARTICIPACIÓN EN LA COMUNIDAD LOCAL

Nombre de clubes o entidades de bien público (por ej. Rotary, Leones), organizaciones estudiantiles, asociaciones profesionales, etc. a las que pertenece.

REFERENCIAS

Se presentarán referencias a solicitud del interesado.

El segundo ejemplo es el currículum de una mujer que había trabajado en una única empresa, no tenía título universitario y se veía atrapada en una situación sin salida. Sin embargo, al destacar aquellas áreas de competencia que son transferibles a otras ramas de actividad, logramos presentarla como una firme candidata para ocupar cargos en otros sectores de la actividad económica.

> **Nombre y apellido**
> **Domicilio**
> **Ciudad - Estado o departamento – Código postal**
> **Teléfono**

PERFIL PROFESIONAL

Sólida experiencia en múltiples aspectos del funcionamiento de una oficina. Conocimientos avanzados en el uso de computadoras e ingreso de datos. Probada aptitud para impartir instrucciones y motivar a los compañeros de trabajo. Firme compromiso con una ética del trabajo y con el logro de metas y objetivos de la dirección de la empresa. Reconocida por sus compañeros de trabajo como leal, confiable y con muy buen sentido del humor.

EXPERIENCIA PROFESIONAL

Nombre de la empresa y ubicación (ciudad y estado) – Período de trabajo
DESARROLLO ORGANIZACIONAL

Supervisión del desarrollo e implementación de programas para el cambio de números con código de área rural a números residenciales. Incremento de la eficiencia del sistema de departamentos. Tratativas con figuras clave de la comunidad para coordinar el sistema de llamados de emergencia 911. Competencia en áreas técnicas con énfasis en tareas que exigen precisión y cuidado del detalle. Tareas de contabilidad, tales como conciliación de nóminas, ingreso de datos y manejo de inventario.

CAPACITACIÓN

Buen desempeño en tareas de coordinación y supervisión de empleados. Facilidad para adaptarse a diferentes estilos personales. Encargada de supervisar el desempeño de los nuevos empleados. Probada aptitud en el área de relaciones interpersonales, unida a la capacidad de aliviar tensiones en el lugar de trabajo. Elaboración de un manual de instrucciones para el departamento. Responsable de coordinar horarios y responsabilidades del personal y de fortalecer el compromiso y el espíritu de trabajo en equipo. Capacidad de asumir varias tareas y responsabilidades en forma simultánea. Marcado sentido de responsabilidad hacia la dirección de la empresa. Forma parte de la oficina que ocupa el puesto #1 en una región conformada por nueve estados.

ATENCIÓN AL CLIENTE

Probada competencia en organización del servicio de atención al cliente y solución de problemas. Participó en negociaciones para atender problemas de los clientes y logró acordar soluciones beneficiosas para ambas partes. Habilidad para funcionar como persona de enlace entre la empresa y los clientes. Facilidad para comunicarse con los clientes, ya sea personalmente o por teléfono, y para construir relaciones de mutua confianza y apoyo.

EDUCACIÓN

Escuela Técnica,
Instituto Politécnico, etc.   – Curso iniciado o finalizado
Escuela Secundaria   – Año de finalización de estudios

CAPACITACIÓN PROFESIONAL

Listar los títulos de los seminarios de capacitación y perfeccionamiento profesional a los que asistió.

REFERENCIAS

Se presentarán referencias a solicitud del interesado.

El siguiente currículum pertenece a una persona con formación en los aspectos prácticos de la construcción, que busca orientar su carrera hacia tareas de gestión y administración.

Nombre y apellido
Domicilio
Ciudad - Estado o departamento – Código postal
Teléfono

PERFIL PROFESIONAL

Sólida experiencia en gestión y supervisión de proyectos de construcción desde el inicio hasta la finalización de la obra. Capacidad de establecer, fortalecer y mantener buenas relaciones interpersonales. Excelente manejo de comunicación verbal y escrita. Probada aptitud y formación técnica. Participación en programas de educación continuada por iniciativa propia. Conducta personal y profesional guiada por un alto sentido de integridad y responsabilidad.

EXPERIENCIA PROFESIONAL

GESTIÓN Y DIRECCIÓN DE PROYECTOS DE OBRA

Tuve un destacado desempeño en planificación, programación y dirección de proyectos desde el inicio hasta la finalización de la obra. Tuve a mi cargo la supervisión a pie de obra de casas de estilo por un valor de hasta 650.000 dólares. Fui asistente de planificación en la creación de una urbanización residencial exclusiva. Tuve a mi cargo el seguimiento y el contacto entre contratista y cliente.

INTERACCIÓN PERSONAL

Probada habilidad para interactuar con diferentes clases de personas. Tengo cinco años de experiencia en ventas fuera de la empresa, y en ese período logré vender productos de primera calidad y abrir nuevas cuentas, lo cual implicó tareas de seguimiento, servicio al cliente y nuevas ventas. Participé en instancias de capacitación sobre el terreno para representantes de ventas. El programa incluía instrucción, entrenamiento y evaluación con los aspirantes y con personal de la gerencia de la empresa. Gané el premio ofrecido por la compañía a quien obtuviera los mejores resultados de ventas durante la capacitación.

FORMACIÓN TÉCNICA

Me gradué como licenciado en ciencias; biología es mi área de especialización principal, y química, el área de especialización secundaria. Poseo la formación necesaria para encarar trabajos de investigación. Fui autodidacta en la adquisición de conocimientos sobre selección y uso de materiales y requirimientos estructurales. Logré buen nivel de conocimiento para operar en el campo técnico, al cumplir tareas que requerían detalle y precisión.

ANTECEDENTES LABORALES

El listado de las empresas debe incluir los siguientes datos:
Nombre de la empresa – Ciudad y Estado o departamento
Cargo que desempeñó   –Período durante el cual trabajó

EDUCACIÓN

Nombre de la institución (facultad, universidad, instituto superior, etc.)
Ciudad – Estado o departamento
Título o Estudios cursados - Año de inicio y finalización de estudios

CAPACITACIÓN PROFESIONAL

Listar los seminarios de capacitación y perfeccionamiento profesional a los que asistió, detallando el título, el nombre del orador y el año.

REFERENCIAS

Se presentarán referencias a solicitud del interesado.

Este currículum es de una persona con sólida formación técnica en el rubro de la construcción, que desea destacar su amplia experiencia de trabajo.

Nombre y apellido
Domicilio
Ciudad - Estado o departamento – Código postal
Teléfono

PERFIL
PROFESIONAL   Más de 24 años de experiencia en la construcción, incluidas tareas de administración y supervisión, compras y elaboración de presupuestos.
Conocimientos prácticos de redacción de proyectos, carpintería y soldadura. Excelente aptitud para detectar fallas y resolver problemas.

ANTECEDENTES
LABORALES   Listado detallado de las empresas donde trabajó con los siguientes datos:
Nombre de la empresa   – Ciudad y estado o departamento
Cargo que ocupó, y enumeración de tareas, por ejemplo: «Ventas, Elaboración de presupuestos y Supervisión de los oficiales carpinteros».
Período durante el cual trabajó.

EDUCACIÓN   **Nombre de la institución** (facultad, universidad, instituto superior, etc.)
Ciudad – Estado o departamento
Año de inicio y finalización de estudios
Descripción de los cursos más importantes y carga horaria.

REFERENCIAS   Se presentarán referencias a solicitud del interesado.

Este currículum fue redactado por un profesional de ventas que decidió armar su perfil basándose en su experiencia laboral pasada.

Nombre y apellido
Domicilio
Ciudad - Estado o departamento – Código postal
Teléfono

PERFIL PROFESIONAL

Sólida experiencia en consultoría de ventas externas, promoción y marketing de concepto. Probada competencia en programación, organización y elaboración de planes estratégicos con los distribuidores. Firme compromiso con una ética del trabajo y con el cumplimiento de las metas de ventas establecidas por la empresa. Reconocida aptitud en el manejo de zonas y habilidad para incrementar las ventas. Facilidad para negociar acuerdos que permitan llegar a un resultado favorable para ambas partes.

ANTECEDENTES LABORALES

Listado de las empresas en las que trabajó, según el siguiente esquema:

Período de trabajo   Nombre de la empresa
Cargo que desempeñó
Descripción de tareas, responsabilidades y logros más significativos en su puesto de trabajo, incluidos ascensos y distinciones otorgados por la empresa.

EDUCACIÓN

Título y nombre de la institución (facultad, universidad, instituto superior, etc.)
Especificar área de especialización

REFERENCIAS

Puedo presentar excelentes referencias a solicitud del interesado.

Este caballero había estado alejado del mercado laboral por tres años a causa de un triple transplante de órganos. Basamos su currículum en las áreas de competencia desarrolladas con anterioridad a su licencia médica, y tratamos de cubrir los intervalos y seguir adelante.

Nombre y apellido
Domicilio
Ciudad - Estado o departamento – Código postal
Teléfono

PERFIL PROFESIONAL

Sólida experiencia en ingeniería mecánica y diseño y armado de entorno de fabricación industrial. Muy buenas relaciones interpersonales que facilitan una interacción fluida con los diferentes niveles jerárquicos dentro de la empresa. Probada habilidad en diseño y sistemas de tecnología industrial, combinada con capacidad de manejo del personal. Firme compromiso con una conducta profesional ética y con el logro de metas y objetivos fijados por la dirección de la empresa.

EXPERIENCIA PROFESIONAL MÁS DESTACADA

GESTIÓN

Logré reunir equipos sólidos que permitían maximizar el potencial de cada uno de los integrantes. Demostré habilidad para negociar y resolver las necesidades de los empleados. Seleccioné, dirigí y motivé al personal a fin de lograr mayor eficiencia en la producción. Actué como enlace entre el nivel técnico y la producción en fábrica. Fui responsable de programación de producción y control de estándares de calidad. Demostré ser competente en la evaluación de factores de riesgo.

COORDINACIÓN DE PROYECTOS

Tuve a mi cargo la implementación e instalación del sistema CAD/CAM/CIM. Mis responsabilidades implicaban el cumplimiento de normas oficiales y de las exigencias del sistema de pruebas DOD. Buen conocimiento de exigencias y mecanismos de control de calidad, incluidas las normas MIL-STD 9858, las normas de calidad Q-101 de Ford, y las Metas de Excelencia de Operaciones de General Motors. Fui encargado de supervisar compras, sistemas de producción y procesos JIT (Just in Time) y Kanban, control estadístico de procesos, tiempo de máquina y de operador, y control de inventario. Competente en cálculo de costos, cotización y procesamiento de tareas.

INGENIERÍA MECÁNICA

Diseñé el diagrama de producción para un innovador diseño de motor (Motor Modular MOD-3 de Ford). Facilité la introducción de cambios en la mecánica y sugerí mejoras. Poseo sólida formación en ingeniería del automotor. Amplia experiencia en mecanizado convencional, máquinas de roscar automatizadas, procesos de conformado en frío, estampación, prensas de embutir, trituradoras CNC y centros de torneado. Supervisé la programación de productos mecanizados CNC para la industria de la energía hidráulica, tales como accesorios de manguera, pasadores y cajas de junta para los fabricantes de automóviles, fabricaciones militares, y el fabricante de prensas hidráulicas OEM (Orange Eng. & Machine Co.).

ANTECEDENTES LABORALES

El listado de las empresas debe incluir los siguientes datos:
Nombre de la empresa – Ciudad y estado o departamento
Período durante el cual trabajó

EDUCACIÓN

Título y área de especialización
Nombre de la institución (universidad, instituto superior, etc.) y fecha de graduación

REFERENCIAS

Se presentarán referencias a solicitud del interesado.

Observe la inclusión de tareas bien específicas en los antecedentes laborales. Cuanto más específica sea la descripción de sus capacidades, menor será el número de personas que puedan competir con usted, a la vez que aumentará la probabilidad de alcanzar mejor nivel de salario. Además, esto le permitirá diferenciarse de los profesionales recién egresados y también de aquellos que tal vez posean más títulos y acreditaciones.

Nombre y apellido
Título universitario
Domicilio
Ciudad - Estado o departamento – Código postal
Teléfono

PERFIL PROFESIONAL

Ingeniera Civil con experiencia en Dirección de proyectos.

Además de una sólida formación profesional, se destacan aptitudes para gestión de proyectos de ingeniería, dirección de equipos de trabajo, y dirección de proyectos sobre el terreno. Experiencia en proyectos comerciales, residenciales e industriales, incluida la industria petroquímica, con participación desde la etapa de desarrollo del concepto y primeras presentaciones al cliente, pasando por la etapa de diseño de construcción, hasta el momento de aceptación y preparación del diseño final. Amplia experiencia de trabajo con consultores (arquitectos, ambientalistas, abogados y organismos del estado).

ANTECEDENTES LABORALES

Listado de las empresas en las que trabajó, según el siguiente esquema:
NOMBRE DE LA EMPRESA, Ciudad y Estado o departamento
Período de trabajo
Cargo que desempeñó
Descripción detallada de una selección de proyectos en los que participó.

Por ejemplo:

Ingeniera de campo en el almacén de municiones de la base militar en Tooele, Utah, EE. UU. Resolví problemas en el diseño original y coordiné la inclusión de los requerimientos finales del cliente. Tuve a mi cargo el diseño especial de placas de pared empotradas que facilitaron la colocación del hormigón y aceleraron la marcha del proyecto.

Dirigí las inspecciones de los daños provocados por el terremoto en Northridge para ERMST (Equipo para el Manejo de Operaciones de Reconstrucción). Redacté los informes para el condado que autorizaban la entrega de fondos para la reconstrucción de viviendas residenciales.

EDUCACIÓN

Nombre de la universidad donde cursó estudios
Título
ACREDITACIÓN
Nombre de la entidad u organismo con facultad de otorgar acreditaciones profesionales, y número de registro profesional, si corresponde.
AFILIACIÓN
Nombre de asociaciones profesionales o comerciales a las que pertenece.

REFERENCIAS

Se presentarán referencias a solicitud del interesado.

Los encabezados en letra cursiva ayudan a identificar la idea principal de cada oración, pero NO debe incluirlos en su carta de presentación.

Nombre y apellido del destinatario
Cargo que desempeña
Nombre de la compañía
Domicilio
Ciudad, Estado o departamento, Código postal

Estimado Sr. ...:

Presentación: Después de más de catorce años de trabajo como representante de ventas en el sector médico,

Situación actual/Metas: estoy interesado en buscar nuevas oportunidades laborales que me permitan continuar desarrollando mi competencia en ventas. Los puestos de trabajo acordes con mi experiencia laboral pasada y mis metas futuras podrían ser:

> Responsable de Capacitación y Perfeccionamiento del Personal
> Responsable de Desarrollo y Recursos Humanos
> Gerente de Marketing y Ventas

Características destacadas: Mi carrera laboral muestra logros importantes y un progresivo ascenso a puestos de mayor responsabilidad. A modo de ejemplo, puedo mencionar que el programa de capacitación del personal que elaboré fue adoptado como modelo de capacitación en los 23 establecimientos que tiene la empresa en todo el país. En los últimos 5 años superé la meta de ventas en más de un 30%.

Siguiente paso: En los próximos días le enviaré mi currículum a fin de que pueda analizar en qué medida mi experiencia y aptitudes pueden ayudar a cristalizar oportunidades de mayor crecimiento en su empresa.

Atentamente,

Firma
Nombre

Vemos que este tipo de comunicación no exige nada del destinatario; se limita a informarle cuál será el siguiente paso. No obstante, contribuye a que la persona se familiarice con su nombre. En nuestra cultura, la reiteración es una herramienta de venta, y durante este proceso, su objetivo debe ser lograr que la persona vea su nombre al menos tres veces, a fin de aumentar la probabilidad de que lo recuerde a usted antes que a otros candidatos.

MODELO DE CARTA INTRODUCTORIA

Nombre y apellido
Domicilio
Ciudad, Estado o departamento

Fecha

Nombre y apellido del destinatario
Cargo que desempeña
Nombre de la compañía
Domicilio
Ciudad, Estado o departamento, Código postal

Estimado Sr. ...:

Por medio de la presente deseo expresar mi profundo interés en trabajar para la empresa XX como gerente regional de ventas. Estoy convencido de que a partir de la experiencia adquirida durante siete años como responsable de ventas y atención al cliente, puedo aportar aptitudes y competencias específicas que redundarán en beneficio de su empresa. De acuerdo con lo expresado, he decidido adjuntar mi currículum para que pueda revisar y evaluar mi formación profesional.

En el cargo que actualmente desempeño soy responsable de reclutar, motivar y capacitar al personal con el propósito de alcanzar objetivos y niveles de excelencia esperados. Asimismo, superviso el desarrollo comercial de todo nuevo producto y asumo la responsabilidad final por la obtención de ganancias según las metas fijadas. Mis responsabilidades incluyen preservar la integridad de la base de cuentas a través de decisiones de crédito acertadas.

Como parte de esa responsabilidad, abrí una sucursal en un nuevo mercado y en seis meses dupliqué la base de cuentas, además de llegar al 150% del crecimiento esperado y al 200% de la meta fijada para las ganancias. Para lograr estos resultados, dirigí al personal en una venta cruzada efectiva de nuestra línea de productos y aseguré un servicio de atención al cliente de excepcional calidad. Este es tan solo un ejemplo de la clase de aporte que puedo ofrecerle a su empresa si llegamos a un acuerdo.

Me interesaría conversar personalmente sobre las oportunidades que ofrece el área de ventas y el aporte que puedo hacer a la empresa. Me comunicaré telefónicamente el próximo miércoles 7 de diciembre para concertar una entrevista en el día y la hora que usted considere conveniente. Espero que podamos conversar acerca del potencial que ofrecen la región central y la región sudoeste de los EE. UU.

Atentamente,

Firma
Nombre y apellido

Creo importante señalar que el texto no incluye frases tales como «Quedo a la espera de su atenta respuesta» o «Aguardo sus noticias cuando usted lo disponga». Recuerde que usted debe tomar la iniciativa y conducir el proceso.

MODELO DE CARTA DE SEGUIMIENTO

Nombre y apellido
Domicilio
Ciudad, Estado o departamento
Teléfono

Nombre y apellido del destinatario
Cargo que desempeña
Nombre de la organización
Ciudad, Estado o departamento, Código postal

Estimado Sr. ...:

Por la presente deseo agradecerle que me haya concedido una entrevista como postulante al cargo de Coordinador de Formación Juvenil de la Asociación Cristiana de Jóvenes (ACJ). Le agradezco su interés y su buena disposición.

De acuerdo con lo conversado esta tarde, creo que mi experiencia y mi formación académica constituyen una buena preparación para el cargo. En mi actual puesto de trabajo y también en la iglesia en la cual participo me he sentido muy a gusto realizando tareas muy similares a las que usted describió.

Deseo reiterar mi profundo interés en trabajar con usted y con la ACJ en Orlando, y recordarle que mi interés surge de una vocación personal que va más allá de mi preparación académica. Considero que esto es un elemento muy favorable a la hora de evaluar si soy la persona adecuada.

Una vez más, le agradezco que me haya tenido en cuenta para esta tarea de contribuir a fortalecer los aspectos positivos de la vida de los jóvenes y darme así una oportunidad de servir a la comunidad. Según lo acordado, lo llamaré el jueves a la mañana para informarme sobre su decisión.

Atentamente,

Firma
Nombre y apellido

Preste atención al uso de un lenguaje de marcado estilo «vendedor». No tema decirle a un posible empleador que verdaderamente desea el puesto y que cree ser el mejor candidato. Si usted no está convencido de que lo es, difícilmente logrará convencer al entrevistador.

Hoja para completar una
declaración personal de misión

Llene esta hoja basándose en la información que ya ha completado. Lea los ejemplos en la página siguiente y escriba algo sobre usted. Después de algún tiempo, podrá leerlo nuevamente y modificarlo o introducir ajustes, pero si logra escribir un par de ideas que lo ayuden a visualizar qué es lo central en su vida, obtendrá una herramienta muy valiosa. Recuerde que si pone algo por escrito, logrará diferenciarse del 98% de los habitantes de este planeta.

Esto es solo una síntesis de los elementos en los que usted ha estado trabajando a lo largo de este libro. Póngalos por escrito e intégrelos a su Declaración personal de misión. (Lea algunos ejemplos en la página siguiente.)

Aptitudes e intereses:

_____
_____
_____

Rasgos de personalidad:

_____
_____
_____

Valores, sueños y pasiones:

_____
_____
_____

MI MISIÓN ES:

_____
_____
_____
_____
_____

Cada uno ponga al servicio de los demás el don que haya recibido, adminis-
trando fielmente la gracia de Dios en sus diversas formas.
1 Pedro 4:10

MODELOS DE DECLARACIÓN PERSONAL DE MISIÓN

Me comprometo a mantener una actitud positiva y buen sentido del humor en todo lo que emprenda. Deseo que mi familia vea en mí un padre y esposo atento y afectuoso, que mis colegas de trabajo me vean como una persona sincera y justa, y que mis amigos me consideren alguien con quien pueden contar. A las personas que trabajan para mí y conmigo les aseguro mi respeto, y cada día me esforzaré para ganarme el suyo. La capacidad de dominio propio sobre todas mis acciones deriva de un fuerte sentido de integridad que es, en mi opinión, la característica más destacada de mi personalidad.

Mi misión es brindar servicios, productos y beneficios a la comunidad médica con absoluta honestidad e integridad. Buscaré la manera de ayudar a las personas que sufren y colaborar con otros profesionales de manera que encontremos soluciones beneficiosas para ambas partes. No perjudicaré ni me aprovecharé de nadie a sabiendas. Usaré mis conocimientos y mi capacidad de organización de tal manera que pueda brindarle sostén económico y bienestar a mi familia, y traer bendición a quienes me rodean.

Mi misión es usar y desarrollar mi creatividad y mi capacidad innovadora a través de la creación de canciones, libros y productos que promuevan un cambio positivo en la vida de las personas y de la sociedad. Seré consecuente en el uso de mis talentos y habilidades. No me negaré a compartirlos simplemente porque no logro el reconocimiento esperado de inmediato. Deseo que todo mi trabajo sea fruto de la inspiración que viene de Dios y bendición para el mundo. Seré fiel a mi familia, a mis amigos y a Dios.

Mi misión es poner mis aptitudes y mi experiencia en el campo del diseño al servicio de los demás para ayudarlos a cumplir sus sueños de vivienda y sueños personales. Para poder cumplir mi propósito con mayor eficacia, seguiré estudiando y ampliando mi conocimiento de la Palabra de Dios, y de todo lo relativo a diseño, finanzas, ventas y relaciones sociales. Me esforzaré por construir relaciones de afecto con mis familiares más cercanos, con la familia extendida y con numerosos amigos. Brindaré amor, solidaridad, tiempo, paciencia, estímulo y creatividad para fortalecer estas relaciones. Prometo escuchar más y hablar menos, y seré sincero al compartir mis ideas y mis luchas personales. De ahora en adelante me esforzaré por alcanzar niveles de excelencia en todas las áreas mencionadas y en mi pasatiempo favorito, la música.